U0333014
1551820032

中华人民共和国国家标准

水煤浆工程设计规范

Code for design of coal water mixture engineering

GB 50360 - 2016

主编部门：中 国 煤 炭 建 设 协 会
批准部门：中华人民共和国住房和城乡建设部
施行日期：2 0 1 7 年 4 月 1 日

中国计划出版社

2016 北 京

中华人民共和国国家标准

水煤浆工程设计规范

GB 50360-2016

☆

中国计划出版社出版发行

网址：www.jhpress.com

地址：北京市西城区木樨地北里甲 11 号国宏大厦 C 座 3 层

邮政编码：100038　电话：(010) 63906433（发行部）

北京市科星印刷有限责任公司印刷

850mm×1168mm　1/32　4.5 印张　110 千字

2017 年 3 月第 1 版　2017 年 3 月第 1 次印刷

☆

统一书号：155182·0032

定价：27.00 元

中华人民共和国住房和城乡建设部公告

第1271号

住房城乡建设部关于发布国家标准《水煤浆工程设计规范》的公告

现批准《水煤浆工程设计规范》为国家标准，编号为GB 50360—2016，自2017年4月1日起实施。其中，第5.1.1（4）、5.5.3、6.1.3、16.4.2、18.1.2条（款）为强制性条文，必须严格执行。原国家标准《水煤浆工程设计规范》GB 50360—2005同时废止。

本标准由我部标准定额研究所组织中国计划出版社出版发行。

中华人民共和国住房和城乡建设部

2016年8月18日

前言

本规范系根据住房城乡建设部《关于印发2013年工程建设标准规范制订修订计划的通知》(建标〔2013〕6号)文件要求,由中国煤炭建设协会勘察设计委员会和中煤科工集团北京华宇工程有限公司为主编单位,会同有关单位在原《水煤浆工程设计规范》GB 50360—2005的基础上修订完成。

本规范在修订过程中,编制组经过广泛调查,总结和分析了不同行业、不同工艺、不同地域条件下水煤浆工程的设计和应用情况,在广泛征求意见的基础上,经过反复讨论、修改、完善并经专家审查后定稿。

本规范共分18章,主要内容有:总则,基本规定,厂址选择,原料煤系统,制浆系统,水煤浆储存与运输,计量与质量检测,水煤浆供应系统,水煤浆燃烧系统,总平面布置及地面运输,电气,控制及自动化,给水与排水,供暖、通风与空气调节,建筑与结构,环境保护,劳动安全与工业卫生,消防。

本规范修订的主要技术内容:

1.适用范围取消了单台锅炉容量670t/h以上的限定;增加了以水煤浆为气化原料的制浆工程设计。

2.调整了水煤浆厂的厂型划分。

3.修订和补充了原料煤系统、制浆系统、水煤浆储存及运输、计量与质量检测、水煤浆供应系统和水煤浆燃烧系统的相关条文规定。

4.增加了水煤浆雾化、除灰渣、水煤浆管道输送和烟气净化处理的相关规定。

5.对厂址选择、总平面布置、给水与排水、建筑与结构等公用系统和环境保护、劳动安全与工业卫生、消防的相关条文进行了修订。

本规范中以黑体字标志的条文为强制性条文，必须严格执行。

本规范由住房城乡建设部负责管理和对强制性条文的解释，中国煤炭建设协会负责日常管理，中煤科工集团北京华宇工程有限公司负责技术内容的解释工作。各有关单位在实施过程中如有意见或建议，请寄送中煤科工集团北京华宇工程有限公司（地址：北京市西城区安德路67号，邮政编码：100120）。

本规范主编单位、参编单位、主要起草人和主要审查人：

主 编 单 位：中国煤炭建设协会勘察设计委员会
中煤科工集团北京华宇工程有限公司

参 编 单 位：中煤科工集团南京设计研究院有限公司
大地工程开发（集团）有限公司

主要起草人：张　朴　吴坤泰　计忠海　刘微华　王成惠
武志斌　康树丽　雷丽颖　万裕新　齐扬扬
杨　红　徐宝静　江　沙　许　红　李明辉
张安林　白思博　巩向胜　陆宝成　杜继祎
周亚良　赵建平

主要审查人：邓晓阳　汪景武　姜　琳　刘建忠　胡柏星
李发林

目　　次

Contents

1 总 则

1.0.1 为了在水煤浆工程设计中贯彻执行国家技术经济政策，推广应用洁净煤技术，统一和规范工程建设标准，做到安全可靠、技术先进、经济合理、确保质量、满足环保节能要求，制定本规范。

1.0.2 本规范适用范围如下：

1 制浆规模0.25Mt/a及以上，生产燃料水煤浆或气化水煤浆的新建、改建和扩建工程设计；

2 单台锅炉容量35t/h及以上，以水煤浆为燃料的新建、改建、扩建的发电、供热工程设计。

1.0.3 水煤浆工程设计除应符合本规范的规定外，尚应符合国家现行有关标准的规定。

2 基本规定

2.0.1 水煤浆工程设计必须符合国家法律、法规及节约能源、保护环境等相关政策要求。

2.0.2 水煤浆工程设计应符合相关行业和企业的发展要求，并应结合建厂条件等因素，经技术经济比较后确定。

水煤浆厂厂型和设计生产能力宜符合表2.0.2的规定。水煤浆应用工程的厂型划分应符合电力等行业的相关规定。

表2.0.2 水煤浆厂厂型及设计生产能力

厂　　型	小型	中型	大型	特大型
设计生产能力(Mt/a)	小于0.25	0.25;0.50; 0.75;1.00	1.50;2.00; 2.50;3.00	3.00以上

2.0.3 水煤浆厂建设类型可分为坑口型水煤浆厂、区域型水煤浆厂和用户型水煤浆厂。水煤浆厂建设类型的确定应符合下列规定：

1 水煤浆用户邻近煤炭产区时，宜依托煤炭产区建设坑口型水煤浆厂；

2 为城镇区域内或数量较多的分散用户供应水煤浆时，宜在城市边缘或邻近主要用户建设区域型水煤浆厂；

3 与大型水煤浆应用工程配套的水煤浆厂或制浆系统，宜按用户型水煤浆厂规划建设；

4 煤炭产区距主要水煤浆用户较远时，应结合制浆原料煤品质、用户对水煤浆产品质量的要求、运输条件、运距等因素，经技术经济比较后合理确定建厂类型。

2.0.4 水煤浆厂工程设计应合理选择制浆的煤源与煤质；水煤浆应用工程设计应合理选择供浆来源及水煤浆质量。

2.0.5 水煤浆试验方法宜按照现行国家标准《水煤浆试验方法》GB/T 18856 的规定执行。作为燃料的水煤浆质量标准宜按照现行国家标准《燃料水煤浆》GB/T 18855 的规定执行。作为气化原料的水煤浆质量标准应符合相关行业和煤气化装置的要求。

2.0.6 水煤浆工程工作制度应根据建厂类型、工艺特点、用户需求、产品外输等因素确定，并应符合下列规定：

1 水煤浆厂宜采用连续工作制，年工作时间不应小于6000h；

2 水煤浆应用工程的工作制度应符合现行相关行业标准的规定。

2.0.7 与水煤浆应用工程配套的大型水煤浆厂的产品运输宜采用管道输送方式。

2.0.8 水煤浆工程设计应采用经实践证明成熟、可靠和先进的工艺、设备和材料。

2.0.9 水煤浆工程各环节设备处理能力的不均衡系数应与建厂类型、厂型、工艺特点和用户要求相匹配，并应符合下列规定：

1 原料煤受卸及储存系统设备处理能力的不均衡系数：选煤厂直接来煤应取 1.2，汽运来煤应取 1.5，铁路或船运来煤宜为3.0；

2 储煤场(仓)至制浆车间缓冲仓之间设备处理能力的不均衡系数：单路系统三班制运行时应取 1.6；双路系统三班制运行时，其中每路系统应取 1.2；

3 制浆系统设备处理能力的不均衡系数：采用单磨机湿法制浆方式应取 1.05，其他方式应取 1.10～1.15；

4 水煤浆加工处理系统、供浆系统、药剂准备系统设备处理能力的不均衡系数应取 1.15～1.40；

5 成品浆的储存、输浆系统设备处理能力的不均衡系数：管道输送应取 1.15；汽车运输、铁路运输和船舶运输设备的处理能力，应与该运输方式允许的能力及车船调度相适应，设备处理能力的不均衡系数不宜小于2.0；

6 废水、废浆处理系统设备处理能力的不均衡系数应取1.3～1.5；

7 未涉及的系统和设备可按国家现行相关标准规定执行。

2.0.10 大型水煤浆工程宜设置机电设备维修间、材料库等辅助设施。水煤浆工程的其他公用、辅助、附属生产设施，应充分利用现有公用设施或与同期建设的其他工程相协调，不应设置重复的系统、设备或设施。

2.0.11 水煤浆工程必须实现生产用水的闭路循环。

2.0.12 环境保护、职业安全、工业卫生、消防、节能设施等工程应与主体工程同时设计、同时施工、同时投产。

2.0.13 水煤浆燃烧应用工程设计除应符合本规范要求外，还应符合现行国家标准《锅炉房设计规范》GB 50041、《小型火力发电厂设计规范》GB 50049 和《大中型火力发电厂设计规范》GB 50660 等的规定。水煤浆气化工程设计应符合现行国家相关标准的规定。

3 厂址选择

3.0.1 水煤浆工程厂址选择，应结合地区及企业的建设规划、用户特征、建厂类型、设计生产能力、原料煤或水煤浆来源、运输方式、废弃物处理，并综合供电、供水、交通运输、工程地质、水文气象和环境保护等因素，经技术经济比较后确定，并应满足下列条件：

1 交通和运输便利。

2 电力和水源供应充足、可靠。

3 应节约和集约用地，宜利用非可耕地和劣地。应减少拆迁房屋，减少人口迁移，并应留有满足近期规划的扩建余地。

4 应具有满足建设工程需要的工程地质条件和水文地质条件。

5 厂址高程应高于重现期50年一遇的洪(涝)水位。当低于上述标准时，厂区应有可靠的防洪(涝)设施，且应符合现行国家标准《防洪标准》GB 50201的有关规定。防洪、排涝设施应在初期工程中按规划的建设规模一次建成。

6 应使工程运行后产生的粉尘、废水、废气、灰渣、噪声等对周围环境的影响，符合现行国家和地方环保标准的有关规定。

3.0.2 水煤浆工程厂址位置应处在地质构造相对稳定的地段，并应与活动性大断裂带留出足够的安全距离。当厂址无法避开地质灾害易发区时，在工程选址阶段应进行地质灾害危险性评估，并应根据评估意见，采取相应的防范措施。

3.0.3 建设单位另行委托设计的铁路专用线、厂外公路、港口码头等项目，应由承担水煤浆工程的总体设计单位对其建设标准、平面布置、铁路路径和主要高程等的相互衔接进行控制和归口管理。

3.0.4 水煤浆应用工程厂址位置，应结合灰渣量和综合利用情况合理确定，并应避免灰渣远距离或多级输送造成对周围环境的污染。

3.0.5 确定水煤浆工程厂址时，应取得有关管理部门同意或认可的文件。

4 原料煤系统

4.1 一般规定

4.1.1 原料煤系统工作制度,应与原料煤卸载、储存、筛分、破碎等环节及制浆车间原料煤缓冲仓的有效容积相协调。系统作业时间应符合下列规定:

1 原料煤卸载及储存系统宜设两班工作制,日工作时间不宜大于16h;

2 原料煤筛分破碎及输送系统宜设三班工作制,日工作时间不宜大于21h。

4.1.2 原料煤系统单路、双路设置,应符合工程建设所在行业相关标准,并应符合下列规定:

1 当制浆用煤量小于65t/h时,可采用单路系统;

2 当制浆用煤量在65t/h～120t/h时,宜采用双路系统;

3 当制浆用煤量在120t/h以上时,应采用双路系统,并应具备双路同时运行的条件;

4 单路系统的主要驱动装置宜配置相应备件;容易产生故障的工序,宜设置备用或旁路。

4.1.3 原料煤系统宜采用带式输送机输送方式。碎煤机前的给料及运煤设备,应设置给料量的调节和计量装置。

4.1.4 破碎、制浆工艺流程的确定应符合多碎少磨的原则,可根据水煤浆设计生产能力及选用的破碎、制浆设备类型,合理确定破碎入磨的原料煤粒度。

4.2 卸煤、储煤设施

4.2.1 原料煤卸载宜采用机械卸煤方式。卸煤机械应根据来煤运输方式和来煤量确定。

4.2.2 经铁路来煤时，允许卸车时间及一次进厂的车辆数量，应与铁路部门协商确定。

4.2.3 经水路来煤时，卸煤机械的总额定能力，应按泊位的通过能力，并与航运部门协商确定，且宜为全厂总需煤量的300%。卸煤机械不宜少于2台。

4.2.4 采用汽车来煤时，宜采用自卸方式。运煤车辆和运输宜优先利用社会运力。

4.2.5 储煤设施总容量应符合下列规定：

1 经由国家铁路干线来煤，应按10d～20d的生产总需煤量确定。

2 经由公路来煤，应按5d～10d的生产总需煤量确定。

3 经由水路来煤，应按水路可能中断运输的最长持续时间确定，且不宜小于10d的生产总需煤量。

4 坑口型水煤浆厂，应充分利用矿井及选煤厂的储煤设施，并应根据实际情况确定自有储煤容量，且不宜小于5d的生产总需煤量。

5 用户型水煤浆厂储煤容量还应符合用户所属行业的规定。

4.2.6 原料煤的存储方式，应根据原料煤的类别及建厂区域的地理、气象条件和环保要求确定，并应符合下列规定：

1 宜采用封闭式储煤场或煤仓存储；

2 严寒、多雨地区，储煤场（仓）布置应采取防冻、保温和通风、排水措施，并应设置必备的除尘、清扫、堆整和消防设施。

4.2.7 当制浆用煤的煤种、煤质波动较大或采用配煤制浆时，储煤场（仓）布置应分煤种、煤质储存，并应设置相应的混煤、配煤设施。

4.2.8 储煤场堆取设备能力和台数，应符合下列规定：

1 储煤场设备的堆煤能力应与卸煤装置的处理能力相匹配；取煤能力应与输煤系统的能力一致；

2 储煤场主要堆取设备采用推煤机、轮式装载机时应有一台备用；

3 选用门式或桥式抓煤机时，其总额定能力不应小于总需煤量的300%、卸煤装置能力和输煤系统能力三者中的最大值，设备不设备用；宜设一台推煤机供煤场辅助作业。

4.2.9 采用筒仓储煤时，应采取防堵、防黏附措施。当储存易自燃的高挥发分煤种时，还应采用防爆、通风和温度检测措施，并应严格控制存煤的滞留时间。

4.2.10 储煤场受煤坑设计应符合下列规定：

1 受煤坑数量应设置2个及以上，并应根据来煤种类和配煤要求增加；单个受煤坑的有效容积不宜小于15m³；

2 受煤坑上宜设置不大于200mm孔径的铁篦子；当接受粒度大于100mm的来煤时，宜设置大块煤处理设施。

4.3 原料煤筛分、破碎及输送

4.3.1 原料煤筛分、破碎工艺流程和设施，应根据来料性质、生产规模和制浆工艺合理确定。当筛分、破碎设备不设备用时，用于细碎的破碎机宜设旁路通道。

4.3.2 筛分、破碎设备的选型，应符合下列规定：

1 对容易黏结和堵塞筛孔的煤，应优先选择处理湿粘煤不堵筛孔、适应性强的筛分、破碎设备；对中型及以下水煤浆厂，以及原料煤中符合进入磨机粒度要求的比例较少时可不设筛分环节；

2 应选择符合磨机入料粒度要求的破碎机；破碎后的原料煤粒度宜小于6mm，通过率大于80%；

3 应选用鼓风量小、起尘少、噪声较低、维修量较少的破碎机。

4.3.3 原料煤系统在破碎机前应设置除杂设施。

4.3.4 筛分、破碎车间及转载站、煤仓上部应设检修起吊设施和检修场地。

4.3.5 原料煤输送设施应符合下列规定：

1 采用普通胶带的带式输送机倾斜角，输送破碎前原料煤时，不宜大于16°，输送破碎后细煤时，不宜大于18°；

2 输煤栈桥宜采用封闭式；对露天布置的输送机胶带应设防护罩且应便于巡检维修。在寒冷与多风沙地区，输煤栈桥应采用封闭式，并应有供暖设施；

3 原料煤系统应有防止煤流运输、转运和使用过程中堵塞、黏附的有效措施。

4.3.6 原料煤系统应有满足环保及工业卫生要求的煤尘及煤泥水治理措施。

4.3.7 原料煤系统可根据设备配置和运行要求设置推煤机库、值班室等设施。

5 制浆系统

5.1 一般规定

5.1.1 制浆原料煤选择，应在煤源调查和煤质资料收集分析的基础上，根据运输条件、价格、用户对水煤浆产品的要求和建厂所在地的环境保护要求等因素确定，并应符合下列规定：

1 内在水分低、可磨性指数高、成浆性能好；

2 灰分低、硫分低、发热量高、挥发分高；

3 燃料水煤浆宜选择灰熔点高的原料煤类，气化水煤浆宜选择灰熔点低的原料煤类。

4 稀缺煤类不应用于制浆。

5.1.2 需要配煤才能满足用户对水煤浆产品质量要求时，应先取配煤样品进行工业分析、元素分析和成浆性试验，并经技术经济比较后确定配煤方案。

5.1.3 与选煤厂配套建设的水煤浆厂，宜采用末精煤或浮选精煤作为制浆原料。

5.1.4 制浆工艺选择，应遵循“可靠、先进、适用、经济”的原则，结合煤源煤质特点、用户要求、原料煤成浆性能和产品输送方式，经技术经济比较后确定。

5.1.5 制浆用添加剂类别及品种的选择，应根据煤质、产品质量目标、制浆工艺要求、使用的经济性、市场供应和储存条件等因素，并应结合成浆性试验结果合理确定。宜选择对煤种适用面广，环保性能好的阴离子型分散剂和高分子化合物类的稳定剂。

5.1.6 制浆原料煤的成浆性报告应由具备承接水煤浆试验研究能力的单位提供。

5.2 制浆工艺及设备

5.2.1 制浆工艺选择，应以制浆原料煤的成浆性试验结果为基础，并应有生产运行的实例佐证。应选择技术先进、工艺设备成熟可靠，并经实践检验技术可行和综合经济性优的制浆工艺。大、中型水煤浆厂宜采用高浓度湿法磨矿制浆工艺。

5.2.2 制浆工艺设备选型应符合可靠、适用、节能、易于维护的要求。新开发的制浆工艺及专用设备，应进行工业性试验成功后方可选用。

5.2.3 制浆设备处理能力，应结合设备生产厂家资料、制浆原料煤性质、成浆性能和相似工程的实践数据综合确定。必要时应经试验确定。

5.2.4 添加剂添加量、添加方式和添加位置，应根据成浆性试验结果、添加剂品种、性状和工艺要求合理确定。

5.2.5 水煤浆产品稳定期，应结合用户使用要求以及运输方式、储存时间、环境条件等因素确定。

5.2.6 制浆工艺流程应设置废水、废浆的处理和回收复用措施。

5.3 制浆系统及布置

5.3.1 制浆系统布置应做到工艺流程顺畅，设备布局紧凑，设备与管道连接短捷，管线布置整齐、合理，有利于安全运行、巡检和维修。

5.3.2 磨机前的缓冲仓设置在制浆车间时，应符合下列规定：

1 缓冲仓设置宜为一磨一仓，仓容量应满足下列要求：

1）单台磨机用煤量低于 30t/h 且运煤系统为单路布置时，宜为磨机 3h 以上的用煤量；

2）单台磨机用煤量为 30t/h 及以上，或单台磨机用煤量低于 30t/h 且运煤系统为双路布置时，宜为磨机所需 2h 以上的用煤量。

2 缓冲仓内壁应光滑耐磨，仓壁倾角宜在60°及以上，可内衬耐磨、光滑的高分子材料，必要时可增加破拱、清仓措施。

3 缓冲仓出口截面不宜小于600mm×600mm。

4 缓冲仓宜采用锥形钢仓，或者上部可采用钢筋混凝土结构，下部可采用锥形钢结构的方式。

5.3.3 磨机的布置应符合下列规定：

1 多台磨机布置时，相邻两台磨机的水平中心距宜为磨机直径的3.0倍～4.5倍；厂房柱距应与磨机中心距相协调；

2 磨机滚筒中心线至地面高度宜为磨机直径的1.0倍～1.3倍，且筒体底部距地面净空高度不应小于0.8m；

3 磨机宜直接布置在车间±0.00m平面，不宜设在楼板上或高架布置；

4 磨机布置应满足检修起吊及装、卸磨介要求，磨机入料端给煤、给水、给添加剂方便，并应易于生产观察、巡检和设备维护；

5 应采用隔声降噪、防尘、排气和便于清扫等措施。

5.3.4 磨机排料端缓冲池(桶)及布置应符合下列规定：

1 缓冲池(桶)的有效容积宜为10min～20min的磨机排料量；

2 缓冲池(桶)应设置必要的除铁、除杂和搅拌装置；

3 缓冲池(桶)及排料泵送设备布置应易于维护管理，不宜设在车间±0.00m以下；

4 操作平台的布置应便于设备检修、取样、排渣及巡检。

5.3.5 滤浆设备选型和布置，应根据工艺流程和水煤浆品质要求，满足滤后浆的输送，方便滤后杂质和废浆的处理。滤浆设备数量不宜少于2台。

5.3.6 稳定性处理设施及布置应符合下列规定：

1 稳定性处理桶(罐)数量不宜少于2座；

2 稳定性处理桶(罐)容积不宜小于40min的生产量，搅拌强度应能满足浆体和药液的有效混合。

5.3.7 均质熟化设备宜结合原料煤与添加剂的溶解特性，均质熟化加工方式及时间等因素综合确定。

5.3.8 冷却水系统设计应符合下列规定：

1 水煤浆工程应设置独立的冷却水系统；气候炎热地区应设置机械通风冷却装置；

2 依托矿区、选煤厂和电厂等建设的水煤浆工程，应优先利用现有的冷却水系统，或者与现有、新建的其他工程联合设置冷却水系统；

3 磨机等设备的冷却水应循环利用；

4 对硬度高的水质应进行软化处理。

5.3.9 与磨机配套的润滑油站应靠近磨机布置，确保油路畅通，并避免润滑系统的设备及各种管线影响生产巡检和设备维护。当润滑油站采用地坑式布置时，应设积水坑和排水设施。

5.3.10 制浆车间内应设置检修起吊设施与检修场地，设备和部件运输及值班人员巡检通道。

5.4 添加剂配供系统

5.4.1 添加剂配置方式和添加方法应根据来料种类和性状，结合工艺要求确定。

5.4.2 添加剂原药储存量应大于水煤浆厂额定生产量时7d的添加剂用量。

5.4.3 添加剂稀释搅拌装置的容积和药剂泵的输送能力，应与添加剂类型、溶解度、搅拌强度、制浆生产药剂用量相匹配。

5.4.4 成品添加剂溶液储存桶（池）的容积，不应少于水煤浆额定生产量时8h添加剂溶液用量。

5.4.5 添加剂溶液定量添加装置应根据生产规模、自动化程度等要求确定。

5.4.6 添加剂卸载、储存、调配、输送和定量添加应选用与添加剂特点相适应的设备、装置、罐（池）和库房，并应易于维护。固态添加剂的储存环境应干燥通风。液态添加剂的储存环境应采取防冻措施并便于清理。

5.5 辅助设施

5.5.1 接触腐蚀性介质的设备、管道、阀门等，应采用耐腐蚀材料制造，或对与介质接触的表面进行防腐处理。

5.5.2 预防水煤浆沉淀的措施应符合下列规定：

1 应设置均质和稳定性处理工艺环节；

2 应在桶、罐内设置立式或侧式搅拌器，或设置浆循环等设施；

3 应减少设备和管道内的积浆死区，并应在管道低位设置排污口；

4 当长期停运时，应能够及时、方便地清洗和维护，避免泵类等设备及管道内长期存浆。

5.5.3 水煤浆生产和应用过程中产生的废浆和废水不得直接外排，应设置完善的储存、处理和回收复用设施。

5.5.4 制浆车间、输浆泵房和供浆泵房应设废水桶（罐）或污水池。

5.5.5 设备、管道及其附件以及支吊架、平台扶梯外表面，应除锈后分类涂刷不同颜色油漆，管道应标明介质流向箭头。

6　水煤浆储存与运输

6.1　水煤浆储存

6.1.1　储浆罐结构型式及容量，应根据地理位置、地质条件、水煤浆工程类型、工程规模、原料煤的储存量、主要工艺装置、运输条件、用户需求等因素综合确定。水煤浆储存可采用地上式或高架式储浆罐。

6.1.2　储浆总容量应符合下列规定：

1　坑口型水煤浆厂和区域型水煤浆厂储浆容量不宜小于该厂 5d 额定产量，且必须满足 1.2 倍～1.5 倍设计运输车组或船舶的净载容量；

2　用户型水煤浆厂储浆容量不宜小于该厂 2d 额定产量，且储浆总容量与原料煤的储存量之和不宜小于水煤浆应用工程相应行业对原料或燃料储存量的要求；

3　经过铁路干线、水路或联运方式来浆的发电、供热厂，储浆容量不宜小于全厂 10d 用浆量，且应与相应行业对燃料储存量要求相协调；其他用户的储浆容量不宜小于全厂 7d 用浆量；

4　经过铁路支线，包括采用公路运输来浆的发电、供热厂，储浆容量不宜小于全厂 7d 的用浆量；

5　制浆厂与应用工程合建的发电厂、供热厂和水煤浆气化装置，在确保供浆的条件下，经过论证认为合理时，可与制浆共用储浆设施；

6　采用不经中转的管道输送来浆时，在确保供浆条件下，储浆容量不宜小于全厂 5d 的用浆量。

6.1.3　水煤浆工程储浆罐数量不应少于 2 座。

6.1.4　储浆设施设计还应符合下列规定：

1 储浆罐结构形式可选择圆筒形钢制结构或钢筋混凝土结构；

2 储浆罐宜配置不同形式的搅拌装置，并应安装供清理、检修用的设施和管路；

3 大型水煤浆成品储罐，应在不同高度位置设 2 个及以上出浆口和取样点；罐体外宜设盘梯，并应有检修人孔、排污管、浆位测量装置和防雷接地等措施；

4 储浆罐应根据环境条件采取保温、保湿措施。严寒地区室外布置的储浆罐和附属管道、阀门等必须采取加热和防冻措施；

5 来浆品种不同时，宜分别储存；

6 水煤浆储罐的储存系数宜为 0.9，水煤浆储罐的高径比宜为 1∶1；

7 钢制结构储浆罐设计，可根据水煤浆特性及储存要求，按照现行国家标准《立式圆筒形钢制焊接油罐设计规范》GB 50341 执行，储罐内壁应采取除锈、防腐措施。

6.1.5 水煤浆的装车、装船可采用单点装，也可采用多点装。当条件具备时，宜采用高架式自流装车(船)。采用高架自流装船时，应计入河道水位随季节波动对装船的影响。

6.1.6 水煤浆的装车、装船系统应设置计量装置和清洗、清扫设施。

6.2 水煤浆运输

6.2.1 水煤浆产品运输方式，应根据水煤浆工程的设计生产能力、运输距离、用户集中程度和水煤浆产品质量，通过技术经济比较合理确定。水煤浆产品可采用铁路罐车、汽车罐车、船舶或管道运输方式。

6.2.2 条件具备时，水煤浆运输宜采用长距离管道输送方式，并应符合下列规定：

1 当作为单独的运输工程项目时，应在可行性论证基础上确

定;当作为主体工程的配套运输项目时,应与主体工程相适应;

2 最大输送能力应根据用户总需要量确定,并宜有5%～10%的富裕量;

3 工作制度应与用户要求和接收装置能力相适宜;

4 水煤浆长距离管道输送应采取定浓度、定流量的输送方式;

5 水煤浆的输送浓度应根据产品的流变特性、粒度级配、稳定性要求、终端用途等因素确定;水煤浆输送浓度的波动不宜超过±3%;

6 输送工艺和主要设计参数应根据水煤浆性能指标和水煤浆管道输送试验结果确定;

7 管线走向选择应经多方案比较后确定,并应避免经过地形复杂区域和特殊保护区域,减少泵站数量和加速流产生。

6.2.3 水煤浆储存、运输使用的罐体、箱体、管道和设备装卸连接等处应采取有效的防冻、防沉淀和便于清理的措施。

7 计量与质量检测

7.0.1 水煤浆工程应配置完备的计量与质量检测设施。改扩建项目应充分利用已有工程设施,或与已有工程的相关设施联合建设。

7.0.2 水煤浆工程应设化验室和煤样室。当水煤浆厂与水煤浆应用工程分别建设时,水煤浆应用工程应设化验室,可设煤样室。

7.0.3 水煤浆工程应配置水煤浆取样器具,并应根据现行国家标准《水煤浆试验方法》GB/T 18856 的规定和生产质量控制要求,定期对生产过程中水煤浆的半成品和成品进行取样化验。

7.0.4 化验室应配置检测下列项目的仪器:

1 水煤浆的浓度、粒度、表观黏度、温度、稳定性和抗搅拌特性;

2 原料煤水分、灰分、灰熔点、发热量等;

3 制浆用水和添加剂溶液的 pH 值;

4 可配置检测煤的挥发分、硫分等。

7.0.5 煤样室可配备煤样的计量、破碎、筛分检测、制浆试验等检测设备和仪器。

7.0.6 化验室和煤样室应避开振动和强噪声场所。

7.0.7 化验室和煤样室应根据地区气候条件,设置供暖、通风及除湿设施。

8 水煤浆供应系统

8.1 一般规定

8.1.1 新建的水煤浆供应系统，应按发电、供热或气化工程的规划容量、来浆方式及气象条件等因素，结合本期规模，统筹规划，分期建设或一次建成。改扩建的发电、供热或气化工程的水煤浆供应系统，应充分利用已有设施和设备，并与已有工程相协调。

8.1.2 因改建新增的水煤浆供应系统，应与原有供应系统相协调。

8.1.3 当发电、供热或气化工程包括水煤浆生产系统，并在同一工业场地时，水煤浆供应系统应与水煤浆生产系统有机结合，统筹规划设计。

8.2 卸浆、输浆

8.2.1 卸浆设施设计应符合铁路、公路、水路运输、管道输送或以联运方式来浆的卸载要求，并应符合下列规定：

1 铁路运输来浆时，卸浆时间应根据发电、供热锅炉正常运行总需浆量、车辆调配要求、铁路罐车车型以及厂区总平面位置条件确定；铁路卸浆站台有效长度宜容纳 6 节～12 节罐车同时卸车；

2 汽车公路运输来浆时，汽车卸浆台位数量应根据运输车型及卸浆作业时间计算确定，并不应少于 2 个卸车台位；

3 水路船运来浆时，卸浆码头可与灰渣码头、散货码头合建，不宜少于 2 个卸浆点。

8.2.2 卸浆方式及设备选择，应根据水煤浆特性、来浆的运输方式、进厂运输设备数量、卸浆台位和储浆装置容量等情况，经技术经济比较后确定，并应符合下列规定：

1 铁路、公路来浆时，卸浆宜采用重力自流方式；

2 水路船运来浆时，宜采用自带卸船泵卸浆；

3 卸浆泵应根据浆质及卸浆时间选择，并宜选用低转速、大流量的容积式泵；

4 卸浆泵房设计应根据来浆设施类型、场地自然条件等确定，其布置位置应便于卸车和车辆周转；

5 卸浆泵工作台数不应少于2台；当1台泵停用时，其余泵的总流量应满足正常卸载量要求；

6 卸浆泵的扬程应按卸浆预计达到最大黏度时的工况选取，扬程裕量宜为30%；

7 严寒地区的水煤浆用户，可设置卸浆加热辅助设施。

8.2.3 输浆泵房宜靠近储浆罐区，有条件时可与卸浆泵房、供浆泵房合建。输浆泵房内应设置起吊设施、必要的通风设备、检修场地及配电室。当自动控制及消防满足无人值班要求时，可不设值班室。

8.2.4 输浆泵数量应根据全厂最大用浆量合理确定，并应设1台备用泵。输浆泵流量和扬程的裕量不宜小于设计值的15%。输浆泵宜配调速装置。

8.2.5 车间及厂区输浆管道设计应符合下列规定：

1 输浆管道走向应符合车间、厂区条件和工艺系统要求，便于生产、施工、检修、清管及冲洗；

2 输浆管道直径计算，在表观黏度小于1200MPa·s(20℃，$100s^{-1}$)时，流速宜为0.7m/s～1.2m/s；

3 车间内及厂区输浆管道宜采用架空敷设方式，特殊条件下也可采用地沟敷设方式。管道不宜水平敷设；

4 输浆管道设计应减少弯头、三通、膨胀节等，必要时可加大弯曲半径、采用斜向三通、套筒补偿等措施；

5 设备及管道布置时，应合理确定阀门位置，并应设置必要的冲洗口和排污口。有条件时可设压缩空气吹扫接入口；

6 易积浆部位应设置易于拆卸、检修的法兰短节；

7 管道易积气部位应设置排气阀；

8 严寒、寒冷地区，宜采用热水伴热或电热带保温措施；

9 除管道与设备、阀门处采用法兰连接外，在较长的焊接管段或转弯、地形高低悬殊等特殊管段处宜合理设置供检修和事故处理的法兰连接点。

8.2.6 对邻近浆源的用户，宜考虑管道输送水煤浆，并宜采用架空敷设方式。

8.3 炉前供浆

8.3.1 炉前供浆系统应靠近锅炉房或气化装置布置。条件允许时宜布置在锅炉房内。

8.3.2 供浆系统工艺设计及设备选型，应根据水煤浆品质、锅炉容量、台数、运行要求等因素确定，并应符合下列规定：

1 炉前供浆系统的水煤浆缓冲搅拌桶(罐)数量不宜少于2座，并应相互连通，总容量宜满足全厂总装置2h～4h的最大用浆量；

2 炉前供浆系统应设水煤浆过滤设备，并应设备用。单台过滤设备处理能力的裕量应大于20%。过滤设备应定时迅速清洗排杂；

3 供浆泵应选择出口压力波动范围小、低转速的容积式泵；供浆泵应配调速装置；

4 每台锅炉宜配备3台供浆泵，其中2台工作，1台备用；单台泵流量应满足锅炉在100%负荷时的燃浆量；供浆泵扬程富裕量不宜小于20%；供浆管道系统总阻力富裕量不宜小于20%；

5 供浆泵运行控制应与全厂控制水平相适应。操作控制室宜与锅炉运行控制室统一设置。

8.3.3 供浆泵房至炉前应设环形且可回流的管道，并宜架空敷设。

8.3.4 各台锅炉的炉前供浆管道应采用母管制。炉前供浆管道应装设温度、流量计量和压力调节装置。

8.3.5 炉前的水煤浆管道、雾化蒸汽(雾化空气)管道、冲洗水管道、污水管道和压缩空气吹扫管道,应根据现场条件和锅炉运行要求等因素合理布置。

8.3.6 供浆系统管道应设吹扫、冲洗装置。

8.3.7 炉前水煤浆加热设施可根据环境条件设置。

9 水煤浆燃烧系统

9.1 一 般 规 定

9.1.1 水煤浆锅炉在不投油时的最低稳燃负荷等指标，应满足电力、热力等系统的运行要求。各有关辅助设备的选择和系统设计也应满足相关规定。

9.1.2 锅炉点火启动与低负荷助燃用燃料应有可靠的来源。

9.1.3 水煤浆锅炉的水汽质量应满足现行国家标准《火力发电机组及蒸汽动力设备水汽质量标准》GB/T 12145 的相关规定。

9.1.4 烟气排放净化处理应采用技术先进、经济适用、环保达标、工业应用成熟可靠的工艺和设备。

9.2 锅 炉 设 备

9.2.1 锅炉选择应适应水煤浆特性参数及负荷允许变化范围的要求。

9.2.2 电站锅炉选择应符合下列规定：

1 锅炉设备的主要技术要求可按照现行电力行业标准《燃煤电站锅炉技术条件》SD 268 的相关规定确定。

2 锅炉选型、台数和容量应符合下列规定：

1)容量相同的锅炉宜选用同厂、同型设备；

2)气象和环境条件适宜时宜选用露天或半露天锅炉；

3)供热锅炉台数和容量，应根据设计热负荷经技术经济比较后确定；

4)在选择锅炉容量时，应核算在最小热负荷工况下，汽轮机的进汽量不低于锅炉不投油条件下的最低稳燃负荷；

5)供热式发电厂一期工程不宜选择单台锅炉作为唯一的供

热热源。

3 当热电厂的1台最大容量蒸汽锅炉停用时，其余锅炉（包括可利用的其他可靠热源）的产气量应满足下列要求：

1）应满足热力用户连续生产所需的生产用汽量；

2）应满足冬季供暖、通风和生活用热量的60%～75%，严寒地区应取上限；此时，可降低部分发电出力。

4 当发电厂扩建且主蒸汽管道采用母管制系统时，锅炉容量应连同原有锅炉容量统一计算。

5 凝汽式发电厂锅炉的容量，应与汽轮机最大工况时的进汽量相匹配，且1台汽轮发电机宜配置1台锅炉。

9.2.3 工业锅炉选择应符合下列规定：

1 锅炉设计容量宜根据热负荷曲线或热平衡系统图，并计入管道热损失、锅炉房自用热量和可供利用余热计算确定；当缺少热负荷曲线或热平衡系统图时，设计热负荷可根据生产、供暖通风和生活小时最大耗热量，并分别计入各项热损失、余热利用量和同时使用系数及全年负荷低峰期锅炉机组的工况等因素后确定；

2 锅炉不宜少于2台，并应保证当其中最大1台锅炉检修时，其余锅炉的出力应能满足连续生产用热所需最低热负荷和供暖、通风和生活用热所需最低热负荷的要求。

9.2.4 原燃油、燃气或燃煤锅炉改为燃水煤浆锅炉时应符合下列规定：

1 充分利用原有设备，在安全可靠、经济可行的基础上改造工作量小；

2 燃油、燃气锅炉改为燃水煤浆锅炉，应根据用户要求的锅炉出力，原锅炉完好率和运行情况，原锅炉的热力计算书、图纸等资料，结合现场条件经设计计算和技术经济比较后确定；改造后的锅炉出力不宜低于原锅炉出力的70%，蒸汽压力、温度应与原锅炉相同；

3 燃煤锅炉改为燃水煤浆锅炉，改造后锅炉出力宜与原锅炉相同,蒸汽压力和蒸汽温度应与原锅炉相同。

9.3 燃烧系统设备

9.3.1 220t/h 以下锅炉的送风机、引风机设备选择应符合下列规定:

1 锅炉送风机、引风机台数确定应符合下列规定:

1)锅炉容量为 130t/h 以下时,每台锅炉应设送风机和引风机各 1 台;

2)锅炉容量为 130t/h 及以上、220t/h 以下时,每台锅炉应设 1 台送风机,宜设 2 台引风机。

2 送风机、引风机的风量和压头裕量应符合下列规定:

1)送风机的风量裕量不宜小于计算风量的 5%;压头裕量不宜小于计算压头的 10%;

2)引风机的风量裕量宜为计算风量的 5%~10%;压头裕量宜为计算压头的 10%~20%,并应验算在单台引风机运行工况下能满足锅炉最低不投油稳燃负荷时的需要。

3 送风机、引风机宜选择高效离心式风机,条件具备时宜选用调速风机。

9.3.2 220t/h 及以上锅炉的送风机、引风机设备选择应符合下列规定:

1 锅炉送风机台数、风量和压头的确定应符合下列规定:

1)每台锅炉宜设置 2 台送风机,并可不设备用;

2)送风机的风量应按锅炉燃用水煤浆的技术参数,锅炉在最大连续蒸发量时需要的空气量以及制造厂保证的空气预热器运行一年后送风侧的净漏风量计算。送风机的风量裕量宜为 5%~10%,送风机的压头裕量宜为 10%~20%;

3)当每台锅炉设 2 台送风机时,应验算风机裕量,使在单台送风机运行工况下能满足锅炉最低不投油稳燃负荷时的需要。

2 引风机台数、风量和压头的确定应符合下列规定：

1)每台锅炉宜设置2台引风机，并可不设备用。当负荷工况变化较大，燃料结构复杂时，引风机台数可多于2台；

2)引风机风量应按锅炉燃用水煤浆和锅炉在最大连续蒸发量时的烟气量，制造厂保证的空气预热器运行一年后烟气侧漏风量以及锅炉烟气系统漏风量之和计算；引风机的风量裕量不应低于10%，引风机的压头裕量不应低于20%；

3)当每台锅炉装有2台引风机时，应验算风机裕量，并应在单台引风机运行工况下能满足锅炉最低不投油稳燃负荷时的需要。

3 锅炉送风机、引风机宜采用调速型高效离心式风机。

9.3.3 水煤浆锅炉宜采用低氮燃烧装置。

9.3.4 原燃油、燃气或燃煤锅炉改造为水煤浆锅炉时，锅炉本体及燃烧系统设备的改造应符合下列规定：

1 燃烧方式应根据原有锅炉结构型式，通过技术经济比较确定；在条件具备时，宜采用四角切圆燃烧方式；

2 燃烧器和浆枪应采用适合水煤浆低氮燃烧的专用设备；

3 锅炉炉膛水冷壁的改造必须与水煤浆燃烧器、锅炉除渣方式以及现场情况相结合，同时应根据需要增加看火孔、吹灰孔、打焦孔、测量孔等；

4 过热器应根据锅炉本体在燃用水煤浆时热力计算的核定结果，并应与原锅炉热力计算结果进行比较，结合原有锅炉运行时实际减温水的投入量，确定是否对过热器进行改造；

5 对原有省煤器，应计入脱硝系统对烟气温度的要求，且应采取防磨措施；

6 空气预热器及其连箱位置和受热面积，应根据燃用水煤浆的热力计算结果和助燃热风的温度要求进行合理调整，并应采取防磨和低温防腐措施；

7 锅炉本体烟道为适应脱硝系统工艺，应进行相应的改造；

8 在锅炉易积灰的部位，应装设吹灰装置；

9 锅炉底部，应加装除渣设备；锅炉后部应加装除尘装置；

10 锅炉本体平台扶梯改造应预留浆枪运行操作和检修的位置。

9.3.5 锅炉烟尘排放指标，应符合现行国家和地方的现行环境保护标准，并应满足灰渣综合利用的要求。除尘设备的选择，应符合下列规定：

1 每台锅炉设置的除尘器，670t/h 及以上锅炉不宜少于 2 组；410t/h 及以下锅炉可只设 1 组；

2 在除尘器前后烟道上，应设置采样孔及采样操作平台，采样孔的设置，应符合现行行业标准《火电厂环境监测技术规范》DL/T 414 的有关规定。

9.3.6 除灰系统应根据灰量、灰的特性、输送距离、除尘器形式及综合利用等情况，经技术经济比较后确定。采用连续运行方式的系统出力不应小于锅炉额定蒸发量时设计煤种排灰量的 150%。灰库的总贮灰量不应低于系统 24h 的排灰量。

9.3.7 锅炉燃用水煤浆宜采用机械除渣系统，其最大出力不宜小于锅炉额定蒸发量时设计煤种排渣量的 250%。贮渣设施的有效容积不应低于系统 24h 的排渣量。条件允许时，宜设置贮渣仓和自动装车设施。

9.3.8 烟囱型式、高度和烟气出口直径，应根据接入同一座烟囱的锅炉台数确定。接入同一座烟囱的锅炉台数宜为 2 台～4 台。

9.4 点火启动、助燃及水煤浆雾化

9.4.1 锅炉点火启动用燃料，应根据锅炉容量、台数、燃料来源及运输条件等因素，经过技术经济比较后确定，并应符合下列规定：

1 锅炉的点火启动可采用轻柴油；当有可燃气供应条件时，

锅炉可采用可燃气点火启动；

2　当重油的油品质量和供应有保障时，220t/h 及以上锅炉也可采用重油点火启动和低负荷稳燃；

3　改、扩建工程设计，可根据原有条件，采用已有的点火启动用燃料。

9.4.2　点火启动及助燃用燃料的系统能力应符合下列规定：

1　采用单一燃料的系统能力不宜小于 1 台锅炉最大的点火启动燃料量与另一台最大容量锅炉助燃用燃料量之和；

2　当点火启动与助燃为两种燃料时，全厂点火启动系统的燃料供给量不宜小于最大 1 台锅炉的点火启动用燃料量；助燃系统的燃料供给量不宜小于最大 1 台锅炉的最大助燃用量。

3　锅炉点火启动燃料供应量应根据锅炉所配点火枪容量、数量以及同时使用的最大燃用量确定。可取锅炉最大连续蒸发量工况下输入热量的 20%～30%。

4　锅炉低负荷稳燃用燃料量应根据水煤浆品质、锅炉不投油(气)最低稳燃负荷水平及锅炉运行方式确定。当需要投入助燃用燃料时，宜按锅炉最大连续蒸发量工况下输入热量的 5%选取。

5　系统回输燃料量应根据点火枪喷嘴的设计特点、燃烧安全保护要求和主要参数确定，且不应小于系统设计出力的 10%。

6　全厂点火启动及助燃系统能力应为燃料使用量与最小回输量之和，其裕量宜为 10%。

9.4.3　锅炉点火启动及助燃用油可采用公路、铁路或水路运输，就近有油源时，宜采用管道输送。

9.4.4　点火启动及助燃油系统卸油泵，应根据油质特性、输送方式和油罐容量等经技术经济比较后确定，并应符合下列规定：

1　卸油泵型式应根据油质黏度、卸油方式及消防要求确定；

2　卸油泵台数不宜少于 2 台，当最大一台泵停用时，其余泵的总流量应满足在规定的卸油时间内卸完车、船的装载量；

3　卸油泵的选型应按输送油品预计最大黏度指标选用，扬程裕量宜为30%。

9.4.5 点火启动和助燃油油罐的个数和容量，应根据单台锅炉容量、油种、燃油耗量，以及来油方式和周期等因素综合确定，并应符合下列规定：

1 采用35t/h级容量的水煤浆锅炉时，全厂应设置1个不小于20m^3油罐；

2 采用65t/h及以上，220t/h以下容量水煤浆锅炉时，全厂宜设置1个～2个50m^3～100m^3油罐；

3 采用220t/h～410t/h级容量的水煤浆锅炉时，全厂宜设置2个200m^3～500m^3油罐；

4 采用670t/h及以上容量的水煤浆锅炉时，全厂油罐的设置应按照现行国家标准《大中型火力发电厂设计设计规范》GB 50660的相关规定执行。

9.4.6 点火启动油系统供油泵型式、出力和台数应符合下列规定：

1 供油泵型式应根据油质和供油参数要求确定，宜选用离心泵或螺杆泵；

2 130t/h及以下锅炉，供油泵宜为2台，其中1台备用；供油泵的出力，宜按容量最大的一台锅炉在100%负荷时所需燃料的20%～30%选择；

3 220t/h及以上锅炉，供油泵宜为3台，其中2台泵应分别满足锅炉在100%负荷时所需燃料量，1台泵应满足锅炉在30%负荷时所需燃料量，或3台泵应分别满足锅炉在50%负荷时所需燃料量；当其中最大一台泵停用时，其余油泵的总流量不应小于全厂燃油系统耗油量及回油量之和的110%；

4 供油泵的流量裕量不宜小于10%；扬程裕量不宜小于5%；扬程计算中的燃油管道系统总阻力（不含油枪雾化油压及高差）裕量不宜小于30%。

9.4.7 输油泵房宜靠近油库区，供油泵房内应设置通风、起吊设施和必要的检修场地及值班室。

9.4.8 锅炉房的供油、回油管道设计应符合下列规定：

1 当采用同一油种时，至锅炉房的点火启动及助燃油宜采用1条供油管。当锅炉台数较多，且从油库存区向锅炉房直接供油时，也可采用2条供油管；

2 点火启动和助燃为不同油种时宜各设置1条回油管；

3 锅炉房油系统宜采用单环管；

4 每台锅炉的供油和回油管道上应装设油量计量装置，供油总管上可装设油量计量装置；

5 锅炉供油管道应装设快速切断阀，并应装设供检修或试验用的旁路阀。回油管道上，宜装设快速切断阀，也可装设止回阀。

9.4.9 对黏度大、易凝结的燃油，其卸油、储油及供油系统应有加热、吹扫设施。燃油管道可设置蒸汽伴热管、蒸汽或压缩空气吹扫管。蒸汽吹扫系统应有防止燃油倒灌的措施。

9.4.10 燃油系统中应设污油、污水收集及有关的含油污水处理设施。

9.4.11 油系统设计应符合现行国家标准《石油库设计规范》GB 50074的相关规定。燃油罐和油管道设计应满足现行国家标准《爆炸和火灾危险环境电力装置设计规范》GB 50058和《火力发电厂与变电站设计防火规范》GB 50229等关于防爆、防火、防静电和防雷击的规定。

9.4.12 水煤浆雾化系统应单独设置，并应符合下列规定：

1 雾化介质选择应根据锅炉容量、台数和运行要求，经技术经济比较后确定；

2 单台容量在35t/h及以上锅炉，宜采用蒸汽雾化；35t/h以下锅炉，可采用蒸汽或者压缩空气雾化；

3 雾化介质的压力、温度指标应与所选择的喷嘴相匹配；

4 雾化介质的炉前管道宜与水煤浆管道并列布置，且宜采取隔热措施。

9.5 锅炉房布置

9.5.1 锅炉房布置应根据工艺流程要求和水煤浆锅炉设备特点，做到设备布置和空间利用合理，管线连接短捷、整齐，符合安全运行要求。改扩建厂房宜和原有厂房协调一致。

9.5.2 锅炉房柱距和跨度宜根据锅炉容量、型式和布置方式，结合规划容量确定，并宜符合建筑设计统一模数。

9.5.3 锅炉房内管道阀门、挡板及其执行机构的布置，应方便检查和操作，经常操作维护的阀门和人员难以到达的场所，宜设置平台、楼梯或设置传动装置引至楼(地)面进行操作。

9.5.4 在锅炉房运转层靠近锅炉的适当位置，应设置水煤浆枪放置架、检修工作台、用水点和水煤浆枪冲洗设施。

9.5.5 炉内加药、给水加药和汽水取样装置，应设在锅炉房内接近加药、取样点的适当位置。

9.5.6 锅炉房内的地下沟道、地坑、电缆隧道应有防排水设施。

9.5.7 机炉电控制室宜集中布置。控制室应设置2个出入口。控制室和电子设备间严禁穿行汽、水、油、水煤浆等工艺管道。

9.5.8 锅炉房布置及检修起吊设施的设置还应符合现行国家有关标准的要求。

10 总平面布置及地面运输

10.1 一 般 规 定

10.1.1 厂区布置应根据工程规模、生产工艺、交通运输、消防、环境保护、劳动安全和职业卫生等要求，结合厂区地形、地质、地震和气象等自然条件，经技术经济比较后确定。厂区布置应与企业的总体规划相协调。

10.1.2 总平面布置应节约集约用地，提高土地利用率，并应符合下列规定：

1 应以工艺流程合理为原则，以主要生产运转车间为中心，结合原料煤（水煤浆）准备、制浆、储浆、输浆、供浆、灰渣处理、供水、供电、机修、化验、办公等设施的功能，合理分区；

2 工程用地应按规划规模确定。分期建设时，应处理好远近期关系，合理确定用地范围，预留建设发展用地；

3 应充分利用地形、地势、工程地质及水文地质条件，合理布置建（构）筑物和有关设施，应减少土（石）方工程量和基础工程费用；当厂区地形坡度较大时，建（构）筑物的长轴宜顺等高线布置，并宜为物料采用自流管道及高站台、低货位等创造条件；

4 主要生产车间应布置在厂区的适中位置，生产附属建筑物宜分类联合布置；

5 厂区的通道宽度应根据建筑物防火、安全与卫生间距、交通运输、管线布置、竖向及绿化、预留发展用地等要求合理确定；

6 总平面布置应结合当地气象条件，使建筑物具有良好的朝向、采光和自然通风条件；应使建筑群体的平面布置与空间景观相协调；

7 厂区内的建筑物和构筑物布置必须符合现行防火标准

要求；

8 绿化规划和设计应因地制宜，绿地率宜控制在20%以内，改建、扩建工程的绿地率宜控制在15%以内。

10.1.3 工业场地的总平面布置，应减少水煤浆生产和使用过程中可能产生的煤尘、噪声、振动、灰渣和废水对环境的影响。

10.2 总平面布置

10.2.1 厂区大型建（构）筑物、重型设备和生产装置应布置在地质均匀、地基承载力较大的地段。地下设施宜减少埋深，并应布置在地下水位较低的填方地段。

10.2.2 建筑物的室内地坪标高应高出室外场地地面设计标高，且二者高差不应小于0.15m。软土地区还应计入地基沉降差异对建筑物室内地坪标高的影响因素。

10.2.3 制浆车间、锅炉房等主要生产车间布置应符合下列规定：

1 应满足工艺流程要求，道路通畅，生产原料、产品及废弃物运输距离短捷；

2 应距离噪声敏感点较远；

3 应有利于扩建、施工。

10.2.4 原料煤准备系统建（构）筑物布置应满足生产工艺要求，并应缩短运输距离，减少转运环节，降低提升高度。储煤场应布置在厂区常年最小频率风向的上风侧。

10.2.5 储浆、输浆设施的布置宜靠近制浆车间；水煤浆外供或卸浆设施的布置应临近管廊、储浆罐或厂区出入口位置。

10.2.6 储存添加剂的库房或储罐的位置应临近制浆车间；添加剂调配间宜与制浆车间合并布置。

10.2.7 炉前供浆泵房应靠近锅炉房或与锅炉房合并布置；卸浆、输浆泵房和储浆罐区宜布置在锅炉房附近。

10.2.8 废水处理站宜布置在地势较低和各条管路汇集、布置短捷的场地。

10.2.9 点火油泵房和油罐应与其他生产辅助及附属建筑物分开布置，形成独立的区域。

10.2.10 除灰、渣设施的布置应符合下列规定：

1 除灰、渣设施布置应使管线或沟道最短，并应避开厂前区和主要人流通道；

2 当采用水力除灰、渣方式时，沉渣池、沉灰池、浓缩机、脱水仓和泵房位置应靠近锅炉房布置；

3 当采用机械除渣方式时，设备布置不应影响锅炉房及附近主要检修通道；

4 当采用气力除灰方式时，负压风机房或空压机房应靠近除尘器布置，灰库宜布置在交通方便和对环境污染影响小的厂区边缘地带。

10.2.11 厂区对外应设置不少于2个出入口，做到人流和货流分开。厂区的主要出入口宜设在厂区固定端一侧。当采用汽车运输原料煤、水煤浆、燃料油和灰渣等货品时，应设专用的出入口。

10.2.12 厂区道路设计应符合下列规定：

1 厂区各建筑物之间应根据生产、生活和消防要求设置行车、消防通道和人行道。在主要生产车间和储煤场周围应设环形道路和消防通道。若布置确有困难，可沿长边设置尽端式消防车道，并应设回车道或回车场。

2 厂区主要出入口处的主干道行车部分宽度宜与相衔接的进厂道路一致，并应满足原料煤以及水煤浆运输车辆通行要求，宜采用7m；次干道（环行道路）宽度宜采用7m，当布置条件受限时，也可采用6m；次要道路的宽度宜采用4m。

3 厂区道路宜采用水泥路面或沥青路面。

10.2.13 厂区竖向布置应根据生产要求、工程地质、水文气象条件、场地高程等因素综合考虑，并应符合下列规定：

1 在不设防洪堤或围堤的厂区，主厂房的室外地坪设计高程应高于设计高水位0.5m；

2 建筑物、构筑物、铁路及道路等高程的确定，应满足生产要求；地上、地下设施中的基础、管线、管架、管沟、隧道及地下室等高程和布置应统筹安排；

3 应使工程土（石）方工程量最小，地基处理和场地整理投资费用最少，并使填方量和挖方量接近平衡；在填挖方量无法达到平衡时，应落实取土或弃土地点；

4 厂区场地的最小坡度及坡向应以能排除地面水为原则，应与建筑物、道路及场地的雨水窨井、雨水口的设置相适应，并应结合当地降雨量和场地土质条件等因素确定；

5 地处山坡地区的厂区竖向布置，应在满足工艺要求的前提下，合理利用地形，节约土石方量并确保边坡稳定；

6 当厂区自然地形的坡度大于3%时，宜采用阶梯布置。阶梯的划分，应满足生产需要、交通运输便利和地下设施布置合理的要求。在两台阶交接处，应根据地质条件采取稳定边坡的措施。

10.2.14 厂区场地排水系统应根据地形、工程地质、地下水位等因素确定，并应符合下列规定：

1 应按规划容量确定总体设计方案，并应使每期工程排水畅通；

2 有条件时，应采用自流排水；

3 储煤场周围应设排水设施和煤泥水处理设施。

10.2.15 厂区内的主要管线、管架和管沟应按规划容量统一设计，集中布置。应使管线、管架和管沟与建（构）筑物和道路、铁路之间在平面及竖向上相互协调、紧凑、合理，节约用地，整洁有序，并应符合下列规定：

1 管线综合布置必须在满足生产、安全和检修的条件下节约用地；分期建设时，应按规划规模留有后期管线的安装位置；

2 管线布置宜与道路或建筑红线相平行，力求管线短捷顺直，不宜横穿露天堆场或车间内部，并应减少管线与铁路、道路的交叉，当必须交叉时应为正交，特殊情况下交叉角不宜小于45°；

3 地下管线和管沟宜敷设在道路行车区外；

4 地下管线之间最小水平净距，应符合表10.2.15-1的规定。

表10.2.15-1 地下管线之间最小水平净距(m)

管线名称	供水管	排水管	供暖管	压缩空气管	通信电缆	电力电缆	电缆沟
供水管	—	1.0～1.5	0.8～1.2	1.0～1.5	0.8～1.0	0.8～1.0	1.0～1.5
排水管	1.0～1.5	—	1.0～1.2	0.8～1.2	0.8～1.0	1.0～1.5	1.0～1.5
供暖管	0.8～1.2	1.0～1.2	—	1.0	0.8	1.0	1.0
压缩空气管	1.0～1.5	0.8～1.2	1.0	—	0.8	1.0	1.0
燃气管	1.0～1.5	0.8～1.0	1.2	1.5	0.8	1.0	1.5
通信电缆	0.8～1.0	0.8～1.0	0.8	0.8	—	0.5	0.5
电力电缆	0.8～1.0	1.0～1.5	1.0	1.0	0.5	—	0.5
电缆沟	1.0～1.5	1.0～1.5	1.0	1.0	0.5	0.5	—

注：1 表列净距均自管壁、沟壁或防护设施的外缘或最外一根电缆算起；

2 表中同一栏内列有两个数值，当供水管直径大于200mm时，排水管直径大于800mm时用大值，反之用小值；

3 生活给水管与生产、生活污水排水管间的水平净距，应按上表增加50%；

4 供暖管沟可与非易燃易爆的压缩空气或其他惰性气体管沟以及电力、通信电缆沟并列双沟布置。

5 地下管线与建(构)筑物之间的最小水平净距，应符合表10.2.15-2的规定。

表10.2.15-2 地下管线与建(构)筑物的最小水平净距(m)

管线名称	建(构)筑物基础外沿	照明通信柱杆中心线	管架基础外沿	围墙基础外沿	铁路中心线	道路(注1)	排水沟外沿
供水管	2.0～3.0	0.8～1.0	0.8～1.0	1.0	3.3～3.8	0.8～1.0	0.8～1.0
排水管	1.5～2.5	0.8～1.0	0.8～1.0	1.0	3.3～3.8	0.8～1.0	0.8～1.0
水煤浆管	2.0～3.0	0.8～1.0	0.8～1.0	1.0	3.3～3.8	0.8～1.0	0.8～1.0
供暖管	1.0	0.6	0.6	0.8	3.8	0.6	0.6

续表 10.2.15-2

管线名称	建(构)筑物基础外沿	照明通信柱杆中心线	管架基础外沿	围墙基础外沿	铁路中心线	道路(注1)	排水沟外沿
压缩空气管	1.5	0.8	0.8	1.0	3.3	0.8	0.8
燃气管	注5	0.8	0.8	1.0	3.3	0.8	0.8
通信电缆	0.5	0.5	0.5	0.5	3.3	0.8	0.8
35kV及以下电力电缆	0.6	0.5	0.5	0.5	3.8	1.0	1.0

注:1 表中所列净距应自管壁或防护设施的外沿或最后一根电缆算起,城市型道路自路面边缘算起,公路型道路自路肩边缘算起;

2 表中同一栏内列有两个数值,当压力水管直径大于200mm时,自流水管直径大于800mm时用大值,反之用小值;

3 高压线柱杆或铁塔(外边沿)距各类地下管线的距离,按表列照明、通信柱杆距离增加50%;

4 当管线埋深大于邻近建(构)筑物的基础埋深时,应根据土壤条件对表列数值进行校正;

5 距有地下室的建筑物基础外沿和通行沟道外沿的水平净距为3.0m;距无地下室的建筑物基础外沿和通行沟道外沿的水平净距为2.0m。

6 不影响交通运输、人流通行、消防及检修,架空管线、管架跨越铁路、道路及人行道的最小垂直净距,应符合表10.2.15-3的规定。

表 10.2.15-3 架空管线、管架跨越铁路、道路及人行道的最小垂直净距(m)

名　　称	最小垂直净距
铁路(从轨顶算起)	6.0
其他一般管线	5.5
道路(从路拱算起)	5.0
人行道(从路面算起)	2.5

注:1 表中间距除注明者外,管线自防护设施的外缘算起,管架自最低部分算起;

2 有大件运输要求或在检修期间有大型起吊设施通过的道路应根据需要确定,在困难地段可采用4.5m;

3 架空管线、管架跨越电气化铁路的最小垂直净距应符合有关规范规定。

7　管架与建（构）筑物之间的最小水平净距，应符合表10.2.15-4的规定。

表10.2.15-4　管架与建(构)筑物之间的最小水平净距(m)

建(构)筑物名称	最小水平净距
建筑物有门窗的墙壁外面或凸出部分外面	3.0
建筑物无门窗的墙壁外面或凸出部分外面	1.5
铁路中心线	3.8或按建筑限界
道路	1.0
人行道外沿	0.5
厂区围墙(中心线)	1.0
照明、通信杆柱中心	1.0

注:1　表中距离除注明外，管架自最外边线算起；道路为城市型时，自路面边缘算起，为公路型时，自路肩边缘算起；

2　上表不适用于低架式、地面式及建筑物支撑式；

3　易燃及可燃液体、液化石油气及可燃气体介质管道的管架与建(构)筑物之间最小水平净距应符合有关规范规定。

8　改扩建工程中的管线综合布置，在不妨碍现有管线使用的条件下，管线间距不满足表10.2.15-1～表10.2.15-4的规定时，在采取有效措施后，可适当减小。

10.2.16　管线敷设方式应根据所输送的介质，厂区地形与地质条件，施工安装和运行维护等要求，经技术经济比较后确定，并应符合下列规定：

1　凡有条件集中架空布置的管线宜采用综合管架；

2　生产、生活、消防给水管道和雨水、污水排水管道等宜地下敷设；

3　热力管、水煤浆管、燃料气管、压缩空气管、除灰渣管、石灰石浆液管、点火油或助燃油管等宜架空敷设；

4　酸液和碱液管可采用架空或地沟敷设，布置时不应设在工艺管线的上层；

5 水煤浆管线可与其他管线同架布置，但宜避开热力管线，且应在管段低点设置排污口；

6 厂区内的电缆可采用直埋、架空、地沟及隧道式的敷设方式。当采用综合管架敷设方式时，应布置在管架的最上端且不得与其他管线同层。电缆不应与其他管线同沟敷设。

10.3 地面运输

10.3.1 制浆原料煤、水煤浆产品及灰渣运输方式，应通过技术经济比较后确定，且不应影响厂区及区域的交通运输。

10.3.2 在外部条件具备时，制浆原料煤的运输宜采用铁路或水运方式。水煤浆产品运输宜采用管道输送方式。

10.3.3 场外交通运输设计应符合下列规定：

1 原料煤、水煤浆及灰渣采用铁路、水运、公路运输方式时，应充分考虑铁路、河道及公路的通过能力；

2 当铁路、码头布置在厂区外部时，应与规划部门及有关企业协调，落实利用或建设的可能性、建设费用及运行方式，取得必要的协议，并应保证站场、码头与水煤浆工程间有良好的交通运输通道；

3 水煤浆工程主要进厂道路应就近与现有公路连接，其连接宜短捷并方便行车，宜避免与铁路线交叉；当进厂道路与铁路线平交时，应设置有看守的道口及其他安全设施；

4 当水煤浆或灰渣采用管道输送时，应合理选择敷设方式，并应对管道的敷设线路方案、敷设条件以及可能对沿线环境产生的影响进行分析论证；管线宜沿道路及河道边缘敷设，宜选择高差小，爬坡、跨越及转弯少的地段，并应少占用农田。

11 电　　气

11.1 供电系统

11.1.1 水煤浆工程的电力负荷等级应符合表11.1.1的规定。

表11.1.1 水煤浆工程的电力负荷等级

工程类型	水煤浆应用工程	中型及以上水煤浆厂	小型水煤浆厂
负荷等级	二级(特别需要为一级)	二级	三级

11.1.2 水煤浆工程的供电系统,应以所在地区电力系统现状及发展规划为依据,并应根据中断供电的影响程度和近期规划发展及扩建的可能,综合供电点、供电系统接线方案、供电容量、供电电压、供电回路数及无功补偿方式等因素,经技术经济分析后合理确定。

11.1.3 用户型水煤浆厂的供电系统,应与主体工程相协调,有条件的宜直接引自主体工程的供电系统。

11.1.4 对水煤浆工程的专用变电站,宜采用厂、变合一的供电管理方式。

11.1.5 水煤浆工程的高压配电电压宜采用6kV或10kV;低压配电电压应采用380V。配电电压的确定应符合下列规定:

1 应满足地区电网电压等级及供电能力;

2 应满足工程规模及负荷容量;

3 应满足高压用电设备的数量、容量及占全部负荷比例。

11.2 配电系统和负荷计算

11.2.1 电气主接线设计应根据供电系统的设计要求,结合水煤浆工程规模、运行方式等因素确定。接线应简单可靠、操作检修方便、节约投资。当水煤浆工程分期建设时,应便于过渡。

11.2.2 高压电气主接线电源当采用双回路供电时，宜采用单母线分段接线方式。

11.2.3 35kV 及以下用户变电站宜设置站（所）变压器。当有两回路站（所）用电源时，宜装设备用电源自动投入装置。

11.2.4 低压配电系统设计应符合下列规定：

1 水煤浆工程低压配电宜采用放射式为主的配电系统；辅助生产厂房或其他建筑物宜采用树干式配电系统；

2 水煤浆工程中平行的生产线或互为备用的生产机组，根据生产需要宜由不同的母线或线路配电，同一生产线的各用电设备宜由同一母线和线路供电。

11.2.5 负荷计算应符合下列规定：

1 用电设备负荷计算宜采用需要系数法，需要系数和功率因数可由表 11.2.5 选取。

表 11.2.5 需要系数和功率因数

工艺系统或用电设备名称	计算数据		备注
	K_c	$\cos\phi$	
受煤系统	0.55	0.7	
原煤筛分破碎系统	0.6	0.7	
磨机、搅拌机	0.8	0.8～0.85	
螺杆泵、渣浆泵	0.8	0.8	
风机、水泵、空气压缩机	0.7～0.8	0.8	
煤样室设备	0.4	0.7	
化验室设备	0.35	0.7	
翻车机	0.3	0.7	
起重机	0.35	0.7	
机修车间	0.25	0.7	
照明	0.8	1	其他灯具
	0.9	0.9	荧光灯（带补偿）

2 年用电能消耗量宜采用年最大负荷利用小时数计算。

11.3 主要电气设备

11.3.1 电气设备选型应符合下列规定：

1 应做到技术先进、性能良好、可靠性高、维护检修方便、寿命长；

2 功能和结构应合理、经济适用；

3 在有爆炸和火灾危险环境中应选用相应等级的防爆设备；

4 应便于运输和安装；

5 设备运行的噪声值应符合有关规定；

6 对风沙、冰雪、地震等自然灾害，应有防护措施；

7 应选用节能型电气设备。

11.3.2 主变压器的容量应根据总计算负荷以及机组启动、运行方式确定。

11.3.3 破碎机、磨机等设备的高压电动机宜采用真空断路器、真空接触器或 SF6 断路器控制。

11.3.4 导体和电器选择及校验，除应符合本规范的规定外，还应符合现行行业标准《导体和电气选择设计技术规定》DL 5222 的有关规定。

11.4 无功功率补偿

11.4.1 无功功率补偿设计应符合现行国家标准《供配电系统设计规范》GB 50052 的规定。对用于发电的水煤浆应用工程可不考虑无功功率补偿。

11.4.2 谐波水平可按现行国家标准《电能质量公用电网谐波》GB/T 14549 规定执行。

11.5 机 组 启 动

机组应优先采用全电压直接启动方式，并应符合下列规定：

1 母线电压降不宜低于额定电压的85%；

2 当电动机启动引起的电压波动可能影响其他用电设备正常运行，或对系统电压波动有特殊要求时，宜采用软启动方式；

3 必要时应进行启动分析，计算启动时间和校验主电动机的热稳定；

4 电动机启动应按供电系统最小运行方式和机组最不利的运行组合方式计算。

11.6 主要设备布置及电缆敷设

11.6.1 电气设备布置应符合下列规定：

1 布置应紧凑，并应有利于主要电气设备之间的电气联接和安全运行，且应检修维护方便；

2 必须结合水煤浆工程总体规划，交通道路、地形、地质等重要条件，自然环境和建筑物等特点进行布置，应减少占地面积和土建工程量，降低工程造价；

3 当水煤浆工程分期建设时，应按分期实施方案确定。

11.6.2 水煤浆工程电缆选择及敷设应符合现行国家标准《电力工程电缆设计规范》GB 50217的有关规定。主厂房和高低压配电室内的电缆，宜敷设在电缆支架上或电缆沟内的托架上。在煤尘较大的车间，宜敷设在无孔托盘的电缆桥架内。可能存在煤泥水溢流的车间不宜采用电缆沟敷设方式。主厂房内主通道宜采用电缆桥架敷设方式。

11.7 照　　明

11.7.1 水煤浆工程应设置正常照明、应急照明装置。

11.7.2 正常照明电源应由380/220V中性点直接接地系统供电。照明装置电压宜采用交流220V。

11.7.3 在正常照明消失仍需工作的场所和运行人员来往的主要通道，均应装设应急照明。当有2个电源时，可采用备用电源或2个电源交叉方式供电。当只有1个电源时，宜采用内装蓄电池的应急照明灯。

11.7.4 照明系统设计应符合现行国家标准《建筑照明设计标准》GB 50034和《火力发电厂和变电所照明设计技术规定》DL/T 5390的相关规定。

11.8 过电压保护、防雷及接地

11.8.1 水煤浆工程的过电压保护应符合现行行业标准《交流电气装置的过电压保护和绝缘配合》DL/T 620的相关规定。

11.8.2 生产、办公等辅助、附属建(构)筑物和储浆罐的防雷设计应符合现行国家标准《建筑物防雷设计规范》GB 50057的相关规定。

11.8.3 水煤浆工程交流接地系统的设计应符合现行国家标准《交流电气装置接地设计规范》GB 50065的相关规定。

11.9 通　　信

11.9.1 水煤浆工程应设置生产调度通信和行政通信的专用通信设施。通信方式应根据工程规模、生产管理体制、生活区位置等因素规划设计、统一安排。

11.9.2 生产调度通信和行政通信可根据具体情况合并或分开设置。单独的调度通信设施，其总机、中继站及分机的设置应和调度运行方式相适应。

11.9.3 通信设备的容量应根据规模及自动化水平等因素确定。

11.9.4 通信装置必须有可靠的供电电源。直流电源应采用蓄电池组浮充电供电方式,也可采用交流电源经整流后直接供电的方式,以及经逆变压器由蓄电池组供电的方式。

12 控制及自动化

12.1 控制及自动化水平

12.1.1 水煤浆工程的控制及自动化水平，应根据工程规模、用户要求、系统运行特点及预期运行管理水平等因素确定。对于改扩建工程，还应结合已有工程现状综合确定。

12.1.2 水煤浆工程控制及自动化水平应通过控制方式、控制及自动化系统的配置与功能、运行组织、控制室布置及主辅设备可控性等多个方面综合体现，并应符合工程所在行业的相关要求。

12.1.3 控制系统应采用成熟的控制技术和可靠性高、性能良好的设备。新产品、新技术应经验证和鉴定合格后方可使用。

12.1.4 控制系统宜采用分散控制系统或可编程序控制器，其功能应包括数据采集和处理、模拟量控制、顺序控制功能和锅炉燃料安全保护等。

12.1.5 集中控制系统应能在就地人员的巡回检查和配合下，在控制室内实现集中操作设备的启停、运行，进行工况监视和调整以及事故处理等。

12.1.6 随主辅设备本体成套供应及装设的检测仪表和执行设备选型，应满足系统运行、控制及自动化系统的功能及接口技术等要求。

12.2 控制方式及控制室

12.2.1 新建的水煤浆工程，宜按车间进行集中控制，也可采用就地控制。改扩建工程宜与原有的控制方式保持一致，并应在原控制室内增设相应控制设备。

12.2.2 控制系统设计应符合下列规定：

1　应满足工艺系统运行要求，系统灵活可靠，操作方便；

2　控制系统应具备集中(联锁)及就地(解锁)控制方式。控制方式应方便切换，同时不应影响设备运行状态；

3　不论采取任何控制方式，机旁停车按钮都必须有效；

4　集中控制启动前现场应有预告信号，有关岗位人员可中断集控运行。

12.2.3　制浆系统宜采用集中控制方式。

12.2.4　点火油泵房、输浆等生产系统宜单独设置车间控制室。

12.2.5　炉前供浆系统以及其他燃料系统宜纳入锅炉系统进行控制。若调整燃料的供浆泵布置在输供浆泵房内，其控制功能宜设在锅炉控制室。

12.2.6　当水煤浆工程分期建设时，对控制方式、控制室面积应全面规划，合理安排，并应留有适当的发展空间。改扩建工程宜利用原有控制室，当原有控制室不满足要求时可另建。控制室位置及面积还应符合下列规定：

1　控制室应位于被控设备的适中位置，便于运行、观察和维护，控制室面向主设备的一方，宜设大面积玻璃窗；控制室净高不宜低于3.5m；

2　应便于电缆出入及路径较短；

3　应避开厂房伸缩缝、沉降缝及大型振动设备；

4　屏台前后的操作场地及通道，应便于运行维护人员工作；

5　控制室内应有良好的供暖、通风、照明、隔音、防火、防尘、防水等措施；

6　控制室内不应有工艺管道通过。

12.3　检　　测

12.3.1　水煤浆工程检测应包括下列内容：

1　工艺系统运行及经济分析参数；

2　主、辅机的运行状态；

3　电动、气动和液动阀门启闭状态和调节阀门的开度；

4　仪表和控制用电源、气源、水源及其他必要条件的供给状态和运行参数；

5　必要的环境参数；

6　遇有瓦斯气等可燃气体时，应装设可燃气体报警装置。

12.3.2　锅炉宜设置监视炉膛火焰的工业电视。

12.3.3　风机、磨机等重要设备，宜装设轴温测量装置。

12.3.4　测量水、汽、油、可燃气体的一次仪表宜安装在现场。爆炸性危险场所的仪表应按相应防爆等级选择。

12.3.5　水煤浆流量测量宜选用电磁式流量计。水煤浆压力测量宜选用膜片式测量装置。

12.4　信号报警

12.4.1　信号报警应包括下列内容：

1　工艺系统运行参数偏离正常范围；

2　主要工艺设备故障；

3　保护装置动作；

4　控制电源或控制气源故障。

12.4.2　信号报警应具有自动闪光、重复音响、人工确认和复归等功能。

12.4.3　水煤浆应用工程信号报警还应符合工程所属行业的现行标准。

12.5　保护及联锁

12.5.1　工艺系统联锁条件应根据主辅设备和工艺系统设计的要求确定。

12.5.2　原料煤系统宜设有可供操作人员选择流程的按钮。

12.5.3　物料运输线应设连锁控制，并应符合下列规定：

1　连锁控制系统宜按生产工艺流程，分线、分段设计；

2 连锁控制系统中，应具有解除连锁的就地开停车控制功能；非连锁就地开停应能独立于PLC控制系统；

3 连锁控制系统启停车应采用逆物流启动，顺物流停车方式。

12.5.4 工作泵与备用泵、工作搅拌桶(罐)与备用搅拌桶(罐)之间应设有工作/备用切投按钮。投切时自动启闭相应阀门，故障时应自动启动备用设备。

12.5.5 在控制台上应设有总燃料跳闸停炉按钮。锅炉运行中发生下列情况之一时应发出总燃料跳闸指令，实现紧急停炉：

1 手动停炉指令发出；

2 全炉膛火焰丧失；

3 炉膛压力过高或过低；

4 汽包水位过高或过低；

5 燃料全部中断；

6 全部送风机跳闸；

7 全部引风机跳闸。

12.5.6 汽包锅炉应设汽包水位保护。

12.5.7 锅炉蒸汽系统应设蒸汽超压保护。

12.5.8 锅炉燃料安全保护功能应包括锅炉吹扫、灭火保护和炉膛压力保护等。

12.5.9 吹灰系统宜采用顺序控制。

12.5.10 锅炉辅机联锁应包括下列内容：

1 锅炉送风机和引风机之间的跳闸顺序及二者与烟、风道中有关挡板的启闭联锁；

2 送风机全部停运时燃烧系统停止运行的联锁。

12.6 模拟量控制

12.6.1 制浆系统宜设置下列主要控制回路：

1 磨机给煤自动调节；

2 磨机给水自动调节；

3 磨机给药自动调节；

4 稳定性处理自动调节；

5 容器的液位自动调节。

12.6.2 水煤浆锅炉宜设置下列主要控制回路：

1 汽包水位控制；

2 主蒸汽温度控制；

3 炉膛负压控制；

4 送、引风控制；

5 锅炉主蒸汽压力控制。

12.6.3 重要热工模拟量控制的变送器宜采用双重或三重化设置。

12.7 电 源

12.7.1 每组热工交流动力电源配电箱应有2路输入电源，分别引自厂用低压母线的不同段。

12.7.2 每组直流用电的控制盘宜有2路直流220V电源进线。

12.7.3 分散控制系统、保护回路、火检装置及火检冷却风机控制等的供电电源应采用双回路。

12.8 电缆敷设

12.8.1 控制电缆敷设宜与电气电缆统一规划路径，并应符合现行国家标准《电力工程电缆设计规范》GB 50217的相关规定。

12.8.2 电缆采用电缆桥架、电缆沟敷设时，应按电压等级高低由上而下排列。制浆车间热控专业的电源等动力电缆宜合并在电气动力电缆层中敷设。

12.8.3 模拟量的电缆宜在热控电缆层中敷设。

12.8.4 电缆孔洞应在电缆敷设完毕后采用防火材料封堵严密。

13 给水与排水

13.1 水　　源

13.1.1 水煤浆工程的水源可选择地下水、地表水，或取自市政给水。水源的选用应通过技术经济比较后确定。

13.1.2 供水设计应根据水源和各用水项目对水质、水量的不同要求，采取分区、分质供水，一水多用等措施。

13.1.3 制浆用水水质应根据所选煤种的成浆性试验结果确定，并应优先选择城市中水或生产废水制浆。生活用水水质应符合现行国家标准《生活饮用水卫生标准》GB 5749 的相关规定。

13.1.4 当采用再生水作为主要水源或者补给水源时，应设备用水源。

13.2 室外给水排水

13.2.1 水煤浆工程用水量指标、小时变化系数（K）和用水时间等应符合下列规定：

1 职工生活用水量可采用 30L/（人·班）～50L/（人·班），小时变化系数为 2.5～1.5；

2 工作人员的淋浴用水量，可采用 40L/（人·班）～60L/（人·班），延续时间为 1h，也可根据淋浴器数量经计算确定；

3 浇洒道路、广场和绿地用水量，应根据路面种类、绿化、气候和土壤等条件确定；浇洒道路、广场用水量可按 2.0L/(m^2·d)～3.0L/(m^2·d)计算，绿化浇洒用水量可按 1.0L/(m^2·d)～3.0L/(m^2·d)计算；

4 输煤系统各建筑物水力清扫的冲洗水量可按 10L/(m^2·次)计算，地面水力清扫应分段冲洗；

5　制浆生产用水应按工艺要求确定，制浆系统日冲洗用水宜按10min～20min制浆用水量计算；

6　制浆车间设备冷却水宜循环使用，补充水量可按循环水量的10%计算；

7　水煤浆工程的未预见水量及漏失水量可按总用水量的10%计算；

8　室外、室内消防用水量，应符合现行国家标准《建筑设计防火规范》GB 50016及工程所属行业消防的规定。

13.2.2　消防给水管道宜与生活给水管道合并。当不具备条件时，可采用独立的消防给水管道系统。

13.2.3　生活、生产和消防给水系统应分质、分压供水。生产给水宜采用独立给水管道系统，当与生活给水管道合并时，应满足下列条件：

1　生产给水与生活给水水质应相同；

2　应有措施保证磨机进水的水量和给水压力稳定。

13.2.4　生产、生活和消防水池有效容积应符合下列规定：

1　生产、生活和消防水池有效容积应按事故用水量、调节水量和消防储备水量之和计算。事故用水量可按3h最大生产、生活用水量计算；调节水量应按供水和用水曲线确定，当缺乏资料时，生产、生活用水的调节水量应符合表13.2.4的规定。消防储备水量应符合现行国家标准《建筑设计防火规范》GB 50016的相关规定。消防储备水量应有不被它用的技术措施。

2　当生活、消防为一个供水系统时，水池有效容积应按生活事故用水量、调节水量和消防储备水量之和计算。

表13.2.4　生产、生活用水的调节水量

名　称	单位	数　值				
用水量	(m^3/d)	＜300	300～500	500～1000	1000～5000	＞5000
调节水量占日用水量	(%)	25～20	20～15	15～10	10～8	8～5

13.2.5　厂区生活污水、生产废水和雨水的排水系统宜采用分流

制。当厂区排水系统与城市或其他排水系统连接时，排水方式应与受纳系统一致。

13.2.6 生活污水处理深度及工艺应根据污水的水量和水质性质、排放水体的环保要求和污水复用等，经技术经济比较后确定。

13.3 室内给水排水

13.3.1 原料煤系统建筑物宜设置水力清扫用的给排水设施。制浆车间、输供浆泵房、储浆、装浆和卸浆系统，应设置冲洗地板和冲洗管道、设备用的给排水设施。场区内应设废水沉淀池，车间地面冲洗废水应收集、处理，分离的固体物后可排入排水系统或重复使用，不得直接外排。

13.3.2 储煤和输煤建筑物、制浆车间应设置室内消火栓。其他建筑物室内消火栓的设置，应符合现行国家标准《建筑设计防火规范》GB 50016 的规定。输煤栈桥和其他建筑物连接处应设防止火灾蔓延的保护措施。

13.3.3 受煤坑、半地下煤仓和其他建(构)筑物的地下部分应设排水设施。

13.3.4 生产、生活水泵均应设置备用泵。

13.3.5 原料煤系统应设置收集冲洗废水的污水坑或地漏，收集的废水应汇入煤泥沉淀池集中处理。

14 供暖、通风与空气调节

14.1 供 暖

14.1.1 设置集中供暖的地区，采暖室外计算参数应按现行国家标准《采暖通风与空气调节设计规范》GB 50019 及《民用建筑供暖通风与空气调节设计规范》GB 50736 的有关规定执行。规范中未列出的地区可采用气象、地理条件与之相邻近的县、市的气象资料。

14.1.2 设置集中供暖的建筑物应按下列规定分类：

1 经常有人工作、值班或对室温有一定要求的生产车间和地下(上)带式输送机栈桥，转载点、通廊、控制室、各类泵房等可划分为生产性建筑物；

2 办公楼、化验室、食堂、浴室及单身宿舍楼等可划分为生产辅助建筑物。

14.1.3 设置供暖的建筑物，根据类型和使用功能，其外围护结构的最小热阻应符合国家现行标准《公共建筑节能设计标准》GB 50189、《民用建筑热工设计规范》GB 50176、《夏热冬冷地区居住建筑节能设计技术标准》JGJ 134 和《夏热冬暖地区居住建筑节能设计技术标准》JGJ 75 的相关规定。

14.1.4 供暖热负荷计算应按现行国家标准《采暖通风与空气调节设计规范》GB 50019 的相关规定执行。

14.1.5 供暖室内计算温度应符合表 14.1.5 的规定。

表 14.1.5 供暖室内计算温度

建筑物名称	室内温度(℃)
受煤坑、转载点	10
运煤栈桥及地道	8

续表 14.1.5

建筑物名称	室内温度(℃)
筛分破碎车间、机修车间	15
水泵房	10
制浆车间	15
药剂库、汽车库	10
办公楼、化验室、控制室(楼)	18
浴　室	23～25
食　堂	14～18
门　卫	18
库　房	5
输浆泵房、装浆站、卸浆泵房、炉前供浆泵房	10
点火油泵房	15
化学水处理室、循环水处理室	10
风机室	15
空压机房	10
灰浆、灰渣泵房	10

注:表中未涉及的建筑物可按照现行国家有关标准执行。

14.1.6 供暖热媒宜采用热水,热水温度不宜大于110℃。当厂区供热以蒸汽为主时可采用高压蒸汽,蒸汽压力不宜大于0.2MPa。水煤浆厂如与其他用户共用1个锅炉房供热时,其热媒参数应与其他用户相同。

14.1.7 严寒地区的生产厂房和辅助建筑物,其开启频繁的主要通道外门宜设置热空气幕。

14.1.8 少量远离热源的建筑物供暖,经技术经济比较后,可采用电热或其他热媒。

14.2 通风除尘与空调

14.2.1 控制室、计算机房、自动交换机房等对房间温湿度有要求时，应设置空气调节系统。如条件许可，办公楼等可设置多联机空调系统。

14.2.2 受煤坑、筛分破碎车间宜采用自然通风，当自然通风无法满足要求时，应设置机械通风。当排风含尘浓度超过现行排放标准时，应设置机械除尘。

14.2.3 当制浆原料煤的外在水分小于7%时，宜采用机械除尘。在不影响工艺设备正常运行时，可采用喷雾、洒水的除尘方式。

14.2.4 除尘装置应与工艺设备联锁，应比工艺设备提前启动、滞后停止。

14.3 室外供热管网

14.3.1 厂区供热管网敷设方式应根据当地气象、水文、地质、地形、交通、绿化、总平面布置及各种管线布置等条件确定。

14.3.2 供热管网宜采用枝状布置，并宜预留扩建分枝环路。管网敷设宜与厂区干道或建筑物平行。

14.3.3 直埋、地沟、架空敷设的供热管道必须保温，并应有外保护层。室外热力管道、管沟与建(构)筑物、道路、铁路和其他管线之间的净距应符合现行国家标准《锅炉房设计规范》GB 50041和《城镇供热管网设计规范》CJJ 34的相关规定。

14.3.4 室外架空供热管道宜与工艺管道同架敷设。

14.4 保　　温

14.4.1 严寒地区的室外储浆罐、管道、阀门及湿式除尘设施等应根据工艺要求采取伴热、保温等防冻措施。

14.4.2 伴热防冻可采用电伴热、热水伴热等方式。当采用热水伴热时，介质温度不宜大于80℃，并应合理设定伴热管与水煤浆管道及储罐的间距。

14.4.3 储浆罐及输浆管道保温设施计算时，环境温度宜取当地冬季供暖室外计算温度；水煤浆计算温度宜取5℃；水煤浆有效储存时间应按工艺要求确定。

15 建筑与结构

15.1 一般规定

15.1.1 建筑及结构设计应执行国家的技术经济政策，做到“安全、适用、经济、美观”，并应与周围环境相协调。

15.1.2 建筑标准应按其在生产上的重要性、使用功能、运行安全和地域特征等因素确定，建筑物的平面布置、空间组合、色彩处理、围护结构以及采光、通风、照明、防火、防爆、防腐蚀、防噪声等应符合现行国家有关标准的规定。

15.1.3 结构设计应满足承载力、稳定、疲劳、变形、抗裂及抗震等要求。结构布置应与工艺专业密切配合，宜按照统一模数设计，并应优先采用标准设计。

15.1.4 结构类型应根据生产的重要性，耐久性和使用要求，经技术经济比较后确定。应采用成熟的新技术、新结构，并应合理选用新材料。

15.1.5 厂房建筑及结构设计应满足工艺要求，并预留扩建余地。

15.1.6 建筑节能设计应满足建筑功能和使用要求。建筑物应根据当地气象条件，采取相应的防寒、保温或防晒、隔热等措施。

15.1.7 地基与基础设计，应根据地质勘察资料和结构荷载，因地制宜地确定基础型式及地基处理方式。必要时，应验算沉降及稳定。扩建厂房的地基基础设计，应避免对原有建筑物产生不良影响。

15.1.8 主要建(构)筑物抗震设防分类，应符合现行国家标准《建筑工程抗震设防分类标准》GB 50223 的相关规定。建筑结构安全等级，应符合现行国家标准《建筑结构可靠度设计统一标准》GB 50068 的有关规定。同时，还应符合现行国家标准《建筑抗震设计规范》GB 50011 和《构筑物抗震设计规范》GB 50191 的有关规定。

15.1.9 厂区生活与卫生设施设计，应符合现行国家标准《工业企业设计卫生标准》GBZ 1 的有关规定。

15.1.10 水煤浆工程主要建(构)筑物楼面均布活荷载标准值及准永久值系数，应符合表 15.1.10 的规定。

表 15.1.10 主要建(构)筑物楼面均布活荷载标准值及准永久值系数

序号	类别		标准值(kN/m^2)	组合值系数	频遇值系数	准永久值系数	备注
1	破碎车间、转载站、煤仓		4.5	0.9	0.9	0.8	
2	制浆车间		5.0	0.9	0.9	0.7	
3	供浆泵房		4.5	0.9	0.9	0.8	
4	脱硫综合楼		4.0	0.9	0.9	0.8	
5	运煤栈桥	胶带宽≤1000mm	2.5	1.0	0.9	0.8	包括输送机设备及煤重，不包括头、尾轮传动装置和拉紧装置
		胶带宽>1000mm	3.0	1.0	0.9	0.8	
6	储浆罐顶平台		4.5	0.9	0.9	0.85	
7	装浆站平台及其他无设备操作平台		2.0	0.7	0.6	0.5	
8	安装或检修场地		10.0	0.7	0.95	0.85	
9	生产车间楼梯		3.5	0.7	0.6	0.6	
10	地道顶板及挡土墙地面荷载		10.0	—	—	0.8	当有车辆通行或有堆料时按实际情况考虑
11	集控室、配电室		4.0	0.8	0.8	0.7	或按实际采用
12	锅炉房	锅炉间楼面	8.0	1.0	0.95	0.8	或按实际采用
		辅助间楼面	4.0	0.8	0.8	0.7	
		运煤、除氧层楼面	4.0	0.8	0.8	0.7	

15.1.11 主要厂房、栈桥室内通道的最小宽度不应小于表15.1.11的规定。

表15.1.11 主要厂房、栈桥室内通道的最小宽度

建筑物名称	检修道宽度(m)	人行道宽度(m)		备注
		距设备运转部分	距设备固定部分	
制浆车间、破碎车间、锅炉房、脱硫综合楼等	0.7	1.0	0.7	—
运煤栈桥	0.55	—	1.0	双输送机栈桥中间人行道宽度≥1.0m
地道	0.7～1.1	—	1.2	—

15.2 建筑物与构筑物

15.2.1 储煤场(仓)及受煤坑设计应符合下列规定：

1 储煤场结构类型应根据水煤浆工程服务年限、原料煤特性、工艺要求、工程地质、气象条件、施工条件等因素，经技术经济比较后确定；

2 储煤场宜设围护结构，顶盖及围护墙宜采用轻质材料，跨度较大时，宜采用拱架或网架结构；长条形布置时，可采用门式刚架轻型钢结构，但应采取措施避免煤压传于结构上；

3 当采用煤仓存储时，宜采用钢筋混凝土筒仓，并应符合现行国家标准《钢筋混凝土筒仓设计规范》GB 50077 的相关规定。在地形、地基条件适宜时，可采用滑坡式或半地下式煤仓；

4 地下或半地下式受煤坑，混凝土强度等级不宜低于C25；在严寒和寒冷地区，混凝土强度等级不宜低于C30；当有地下水时，应采用防水混凝土，其抗渗等级应符合表15.2.1的规定，也可采用其他防水措施。

表 15.2.1 地下或半地下式受煤坑防水混凝土抗渗等级

工程埋置深度(m)	抗渗等级(S_i)
<10	P6
10～20	P8
20～30	P10
30～40	P12

15.2.2 运煤栈桥和地道设计应符合下列规定：

1 栈桥支承结构形式应根据栈桥高度确定；

2 栈桥的跨间结构，应根据地震烈度、使用功能、跨度及栈桥高度，采用钢筋混凝土结构或钢结构；

3 栈桥、地道垂直于斜面的净高不应小于 2.2m；

4 人行道和检修道坡度大于 5°时应设防滑条，大于 8°时应设踏步；

5 栈桥、地道的两端应设安全出口，当其间距大于 150m 时，中部应设安全出口。地道应符合通风、排水和防水等要求。

15.2.3 原料煤系统建筑围护结构内表面应平整、光滑，并易于清理。

15.2.4 制浆车间结构型式、设备基础型式等，应根据工艺布置、设备选型、工程地质特征及用户要求等因素，经技术经济比较后确定，并应符合下列规定：

1 当采用磨机作为主要制浆设备时，制浆车间宜采用框排架相结合的结构型式。制浆车间平面布置宜采用横向布置，以磨机间排架抗风柱端作为扩建端；

2 磨机基础设计应符合现行国家标准《动力机器基础设计规范》GB 50040 的相关规定；

3 大块式基础，应在基础四周和顶、底面配置直径 10mm～14mm、间距 200mm 的钢筋网；

4 楼面预留口四周宜设置凸台，并应采用措施防止冲洗废水溢流入下层；

5 集控室地面应采用不易起尘的材料，门窗应为双层隔音门窗或密闭门窗。

15.2.5 储浆罐宜采用钢结构。当采用钢筋混凝土结构时，应进行抗裂验算。

15.2.6 大型设备基础与大型储浆罐宜设置沉降观测点。

16 环境保护

16.1 一般规定

16.1.1 水煤浆工程的环境保护设计必须贯彻执行国家和地方政府颁布的有关环境保护的法令、条例、标准和规定。

16.1.2 水煤浆工程环境保护设计，应以批准的环境影响报告书(表)、水土保持方案报告书及其批复意见为依据，应采取综合措施，防止废气、废渣、废水及噪声对环境的污染。

16.1.3 水煤浆工程设计应采用先进的清洁生产工艺，治理污染与资源回收利用相结合的措施，减少污染物产生量。厂区应进行绿化规划，保障生产和生活的良好环境。

16.1.4 改扩建水煤浆工程的环境保护设施，应统一规划、合理实施，做到增产不增污或增产少排污。

16.1.5 水煤浆工程运行产生的废水、废气、噪声及固体废物的处理应选用高效、实用、无毒或低毒的处理方案，处理过程中如产生二次污染，必须采取相应的治理措施。

16.1.6 水煤浆工程应加强环境检测和环境保护管理，有条件的可设置环境保护管理机构，或与已有的相关工程共同设置。

16.1.7 本规范中未涉及的环境保护设计其他内容，应按照现行国家相关标准执行。

16.2 大气污染防治

16.2.1 水煤浆工程中的生产性粉尘排放应执行现行国家标准《大气污染物综合排放标准》GB 16297 的相关规定；烟气排放应执行现行国家标准《火电厂大气污染物排放标准》GB 13223、《锅炉大气污染物排放标准》GB 13271 等的规定。同时，还应符合地方环保部门下达的环境保护相关规定和污染物排放总量控制要求。

16.2.2 原料煤的受卸、贮运、筛分和破碎系统宜采取密闭措施，并应设通风、抑尘装置，收集的煤尘应回收利用，防止二次污染。

16.2.3 水煤浆应用工程中的锅炉或窑炉应装设高效除尘装置，除尘效率和烟尘排放浓度必须符合国家及地方现行环保排放标准。

16.2.4 水煤浆应用工程应采取低氮燃烧措施。依据环境影响评价确定的脱硫、脱硝措施应便于实施，二氧化硫和氮氧化物等排放指标应符合国家及地方的现行环保排放标准和排放总量要求。

16.3 废水治理

16.3.1 水煤浆工程应采取先进、可靠的生产工艺和节水措施，并应从源头上减少废水和污水量产生。

16.3.2 生产废水和生活污水应按清、污分流原则分类收集，并应根据其污染程度、复用和排放要求进行处理。

16.3.3 废水的回收、复用和排放方案应根据各生产系统排出的废水水质、水量、处理的难易程度综合优化后确定。不符合排放标准的废污水不得排入自然水体和城市雨污水系统中。设计还应符合下列规定：

1 浓度不小于40%的废浆宜集中存储后直接复用。浓度小于40%的废浆应与制浆车间、储浆罐区、输浆、供浆管线等的检修冲洗废水一起送入废水处理站处理后复用；

2 大型水煤浆厂及水煤浆应用工程应单独设置生产废水处理站；

3 含煤废水宜采用沉淀处理工艺单独处理后回用；含油废水宜采用油水分离处理工艺；脱硫废水应随脱硫系统单独处理后回用；酸碱废水宜采用酸碱中和处理工艺；冲灰、渣的废水应优先重复利用；

4 添加剂配置系统的废水应收集后复用；

5 生活污水宜采用生化处理装置，具备条件的可送至所在区域的生活污水处理站集中处理。

16.4 固体废弃物处理

16.4.1 水煤浆工程生产运行中产生的煤泥、灰渣及脱硫废弃物的贮运应采取密闭、防尘措施。煤泥应返回生产系统复用，灰渣和脱硫废弃物宜综合利用。

16.4.2 水煤浆工程产生的灰渣和脱硫废弃物严禁排入江、河、湖、海等水域。

16.4.3 水煤浆应用工程的固体废弃物存储宜采用干灰储仓或干灰场，其设计应符合现行国家标准《一般工业固体废物贮存、处置场污染控制标准》GB 18559 有关规定。

16.5 噪声防治

16.5.1 水煤浆工程厂界噪声必须符合现行国家标准《工业企业厂界环境噪声标准》GB 12348 和《声环境质量标准》GB 3096 的有关规定。

16.5.2 水煤浆工程的噪声应首先从声源上控制，并应选用噪声达标的设备，优化总平面布置和绿化措施。声源上无法控制的生产噪声应采取隔声、消声、吸声和隔振等有效的噪声控制措施，并应设置噪声卫生防护距离。

17 劳动安全与工业卫生

17.1 一般规定

17.1.1 水煤浆工程的劳动安全和工业卫生设计应贯彻“安全第一、预防为主、防治结合”的方针，新建、改建、扩建工程的劳动安全和工业卫生设施必须与主体工程同时设计、同时施工、同时投入使用。

17.1.2 水煤浆工程的劳动安全和工业卫生设计应以安全预评价报告和职业病危害预评价报告为依据，落实各项安全防护措施。

17.1.3 水煤浆工程生产车间、作业场所、辅助建筑、附属建筑、生活建筑以及地下建筑物的防火分区、防火隔断、防火间距、安全出口和消防通道设置，应符合现行国家标准《建筑设计防火规范》GB 50016、《火力发电厂与变电所设计防火规范》GB 50229 和《建筑内部装修设计防火规范》GB 50222 的相关规定。

17.2 劳动安全

17.2.1 对人员有危险、危害的地点和作业场所应设置醒目的安全标志，安全标志的设置应符合现行国家标准《安全标志及其使用导则》GB 2894 和《安全色》GB 2893 的有关规定。

17.2.2 电气设备布置应满足带电设备的安全防护距离要求，并应有必要的隔离防护和防止误操作措施；应设置防直击雷、防电伤和安全接地等措施。

17.2.3 有转动机械的车间应采取防机械伤害措施。机械设备应设置必要的闭锁装置，所有外露转动部件、传动部件均应设防护罩和警告报警设施，并应符合下列规定：

1 运转设备的机头和尾部应设置防护罩；

2　带式输送机运行通道侧宜设置防护栏，跨越带式输送机等运行设备应设置人行过桥（跨越梯）；除必须在带式输送机的机头、尾部设置联动事故停机按钮外，还应沿带式输送机全长设置紧急事故拉绳开关及报警装置；

3　磨机筒体周围宜设置活动式护栏；

4　主要生产车间应设置设备启动警告电铃的联锁装置。

17.2.4　对有人员坠落危险的地点和作业场所应采取防坠落伤害设施，并应符合下列规定：

1　卸煤口、受煤坑应设置栅格板；

2　生产车间内的设备及材料提升孔四周应设置防护栏；

3　平台、高架通道、升降口、吊装孔、闸门井和坑池边等有坠落危险处，应设置栏杆或盖板；

4　需登高检查和维修设备处应设置钢平台和扶梯，其上下扶梯不宜采用直爬梯；

5　烟囱、冷却塔、储浆罐等处的直爬梯必须设置护笼。

17.2.5　安全疏散设施应有充足可靠的照明灯具和明显的疏散指示标志。有爆炸危险的场所必须采取有效的防爆和防护措施。

17.3　工业卫生

17.3.1　水煤浆工程中应有防止粉尘飞扬的设施。原料煤系统应采取以防为主的综合防治措施。露天储煤场应设置覆盖整个煤堆面积的喷洒设施。原料煤水分小于7%时，卸煤点宜设置喷雾、洒水设施。各建筑物的地面宜采用水力清扫。供热锅炉房（或锅炉）应设置负压吸尘和除尘装置。

17.3.2　原料煤系统煤尘综合防治应符合下列规定：

1　工作地点空气中含尘浓度不应大于10mg/m^3；

2　当工作地点空气中含尘浓度大于3.0mg/m^{3}时，应采取个人防护措施。

17.3.3　产生有害气体或腐蚀性介质的场所，使用含有对人体有害物质的仪器和仪表设备，必须有相应的防毒及防化学伤害的安全防护设施，并应符合现行国家标准《工业企业设计卫生标准》GBZ 1 等的相关规定。

17.3.4 对筛分破碎车间、制浆车间和锅炉房等重要生产场所，应进行噪声控制，重点从声源上采用隔声、消声、引声和隔振等控制措施。

17.3.5 振动危害应首先从设备的振动源上进行控制，并采取隔振、减振等措施。防振动设计应符合现行国家标准《动力机器基础设计规范》GB 50040、《作业场所局部振动卫生标准》GB 10434 的相关规定。

17.3.6 防暑、防寒及防潮设计应符合现行国家标准《采暖通风与空气调节设计规范》GB 50019 的相关规定。原料煤系统的地下受煤坑、输煤地道、地下转运站及检修通道等应设置防潮设施。

18 消　　防

18.1 一 般 规 定

18.1.1 水煤浆工程消防设计应贯彻“预防为主、防消结合”的方针，防止或减少火灾危害，保障人身和财产安全。

18.1.2 水煤浆工程消防给水系统设置必须完善、可靠，各工艺系统及建(构)筑物布置及消防设计应符合现行国家标准《建筑设计防火规范》GB 50016 的相关规定。

18.1.3 水煤浆工程区域内建筑物与构筑物的耐火等级应符合表 18.1.3的规定。

表 18.1.3 建筑物与构筑物的耐火等级

生产类别	建筑物与构筑物名称	耐火等级
丙	原煤储煤场及受煤坑、储存仓、筛分破碎车间、输煤栈桥、转载点、半地下煤仓、点火油罐、卸油泵房及栈台	二
丁	锅炉房、烟囱、风机房、空压机房、除尘构筑物	二
	煤样室、化验室、汽车库、材料库、集中控制楼或集中控制室、脱硫综合楼	三
戊	洗后煤储煤场及受煤坑、洗后煤储存仓、洗后煤准备车间、洗后煤输送机栈桥、洗后煤转载点、洗后煤半地下煤仓、制浆车间、输浆泵房、液态药剂车间、储浆罐、装浆站、卸浆泵房、供浆泵房、灰浆和灰渣泵房、沉灰池、药剂储存间、药剂调配间	二
	生产消防水池、空压机站、水处理建筑物、化学水处理室、循环水处理室	三

注：1 凡未列入本表的厂房、库房等建筑应按现行国家标准《建筑设计防火规范》GB 50016 确定。

2 当电气控制楼(主控制楼、网络控制楼)、微波楼、继电器室不采取防止电缆着火后延燃的措施，火灾危险性应为丙类。

18.2 消防给水

18.2.1 厂区内同一时间内可能发生火灾的次数应按一次设定。消防给水水量应按发生火灾时一次最大消防用水量计算，即室内和室外消防用水量之和计算。

18.2.2 消防用水可由城市给水管网、天然水源或消防水池供给。选用的水源和取水方式必须确保消防用水的可靠性。

18.2.3 消防给水可采用与生产用水或生活用水合并的给水系统。

18.2.4 消防水池的容量应满足在火灾延续时间内室内、外消防用水总量的需要。与生产、生活用水合并的水池，应有确保消防用水的可靠措施。

18.2.5 消防水池的补水时间不宜超过48h，缺水地区可延长至96h。

18.2.6 在制浆车间、储煤场周围，应设置环状消防给水管网。进环状管网的输水管不应少于2条，当其中1条故障时，其余输水管应仍能通过100%的消防用水总量。环状管道应采用阀门分成若干区段。

18.3 专用灭火装置

18.3.1 原料煤系统的输煤栈桥与转运站、筛分破碎车间、制浆车间相连接处应设置防止火灾蔓延的保护措施。

18.3.2 建筑物和设备的灭火设施宜采用灭火器及消火栓。

18.4 消防水泵房

18.4.1 消防水泵宜自灌引水。一组消防水泵的引水管不应少于2条，当其中1条损坏时，其余的引水管应仍能通过全部用水量。高压、临时高压消防给水系统，其每台工作消防水泵应有独立的引水管。消防水泵应有不少于2条的出水管直接与环状管网连接，当其中 1 条检修时，其余的出水管应能供应全部用水量。

18.4.2 消防水泵房应有防止结冰的措施。

18.5 电气设备防火

18.5.1 当配电室的长度大于 7m 时，应设 2 个出口。大于 60m 时，宜再增设 1 个出口。

18.5.2 配电室的门应采用向疏散方向开启的丙级防火门。相邻配电室之间有门时，门应能向 2 个方向开启。

18.5.3 电缆室、电缆隧道和架空敷设的动力电缆、控制电缆等均应分层排列敷设。动力电缆上下层之间，应装设耐火隔板，其耐火极限不应低于 0.5h。

18.5.4 电缆隧道和电缆沟道在穿越集中控制楼（室）、配电室处，穿越厂房外墙边以及电缆分引接处，应设置防火分隔设施。

18.5.5 动力电缆和控制电缆隧道每 150m，充油电力电缆隧道每 120m，电缆沟道每 200m，电缆室每 300m^2 宜设置一个防火分隔物，并应符合下列规定：

1 防火分隔物应采用非燃烧材料，其耐火极限不应低于 0.7h；

2 设在防火分隔物上的门应为丙级防火门。当不设防火门时，在防火分隔物两侧各 1m 的电缆区段上，应有防止串火的措施。

18.5.6 电气设备防火设计除应符合本规范外，尚应符合现行国家标准《火力发电厂与变电所设计防火规范》GB 50229 的相关规定。

本规范用词说明

1 为便于在执行本规范条文时区别对待，对要求严格程度不同的用词说明如下：

1）表示很严格，非这样做不可的：

正面词采用“必须”，反面词采用“严禁”；

2）表示严格，在正常情况下均应这样做的：

正面词采用“应”，反面词采用“不应”或“不得”；

3）表示允许稍有选择，在条件许可时首先应这样做的：

正面词采用“宜”，反面词采用“不宜”；

4）表示有选择，在一定条件下可以这样做的，采用“可”。

2 条文中指明应按其他有关标准执行的写法为：“应符合……的规定”或“应按……执行”。

引用标准名录

《建筑抗震设计规范》GB 50011
《建筑设计防火规范》GB 50016
《采暖通风与空气调节设计规范》GB 50019
《建筑照明设计标准》GB 50034
《动力机器基础设计规范》GB 50040
《锅炉房设计规范》GB 50041
《小型火力发电厂设计规范》GB 50049
《供配电系统设计规范》GB 50052
《建筑物防雷设计规范》GB 50057
《爆炸和火灾危险环境电力装置设计规范》GB 50058
《交流电气装置接地设计规范》GB 50065
《建筑结构可靠度设计统一标准》GB 50068
《石油库设计规范》GB 50074
《钢筋混凝土筒仓设计规范》GB 50077
《民用建筑热工设计规范》GB 50176
《公共建筑节能设计标准》GB 50189
《构筑物抗震设计规范》GB 50191
《防洪标准》GB 50201
《电力工程电缆设计规范》GB 50217
《建筑内部装修设计防火规范》GB 50222
《建筑工程抗震设防分类标准》GB 50223
《火力发电厂与变电站设计防火规范》GB 50229
《立式圆筒形钢制焊接油罐设计规范》GB 50341
《大中型火力发电厂设计规范》GB 50660

《民用建筑供暖通风与空气调节设计规范》GB 50736
《安全色》GB 2893
《安全标志及其使用导则》GB 2894
《声环境质量标准》GB 3096
《生活饮用水卫生标准》GB 5749
《作业场所局部振动卫生标准》GB 10434
《工业企业厂界环境噪声标准》GB 12348
《火电厂大气污染物排放标准》GB 13223
《锅炉大气污染物排放标准》GB 13271
《大气污染物综合排放标准》GB 16297
《一般工业固体废物贮存、处置场污染控制标准》GB 18559
《火力发电机组及蒸汽动力设备水汽质量标准》GB/T 12145
《电能质量公用电网谐波》GB/T 14549
《燃料水煤浆》GB/T 18855
《水煤浆试验方法》GB/T 18856
《工业企业设计卫生标准》GBZ 1
《城镇供热管网设计规范》CJJ 34
《火电厂环境监测技术规范》DL/T 414
《导体和电气选择设计技术规定》DL 5222
《火力发电厂和变电所照明设计技术规定》DL/T 5390
《交流电气装置的过电压保护和绝缘配合》DL/T 620
《夏热冬暖地区居住建筑节能设计技术标准》JGJ 75
《夏热冬冷地区居住建筑节能设计技术标准》JGJ 134
《燃煤电站锅炉技术条件》SD 268

中华人民共和国国家标准

水煤浆工程设计规范

GB 50360 - 2016

条 文 说 明

制 订 说 明

《水煤浆工程设计规范》GB 50360—2016，经住房城乡建设部2016年8月18日以第1271号公告批准发布。

本规范是在《水煤浆工程设计规范》GB 50360—2005的基础上修订而成，上一版的主编单位是中煤国际工程集团北京华宇工程有限公司，参编单位是中煤国际工程集团平顶山选煤设计研究院，主要起草人员是邓晓阳、张朴、巩向胜、梁琦、王成惠、章军、付勇、王凤荣、刘川康、徐建华、邹亚军、徐宝静、秦树篷、张建、沈宏庆、吴坤泰、计忠海、戈军、张保华、郑捷、徐国安。

本规范修订过程中，编制组进行了广泛的调查研究，认真总结了我国水煤浆行业工程设计和建设的实践经验，典型工程建成后的情况和长期运行效果，结合专家和设计单位的评审意见，对有关的节、条、款进行了反复斟酌和修改。修订后的规范在指导设计方面体现了实用性；技术指标的合理性、先进性以及与其他标准的相协调性。

为便于广大设计单位有关人员在使用本标准时能正确理解和执行条文规定，《水煤浆工程设计规范》编制组按章、节、条顺序编制了本标准的条文说明，对条文规定的目的、依据以及执行中需注意的有关事项进行了说明，着重对强制性条文的强制性理由做了解释。但是，本条文说明不具备与标准正文同等的法律效力，仅供使用者作为理解和把握标准规定的参考。

目　次

1 总　　则

1.0.1 本条阐明了本规范修编目的。水煤浆工程建设是落实国家推广发展洁净煤技术，实施节能减排、保护环境，合理利用能源的具体体现。工程设计应在安全可靠、技术先进、环保节能、确保质量的前提下，体现工程的经济效益和社会效益。

1.0.2 水煤浆属洁净煤技术范畴，是具备重油燃烧应用特点的煤基流体燃料。我国从“六五”立项研究至今，经过三十多年的自主研发和工程设计实践，拥有属于自主知识产权的技术体系，目前，在国际上达到了理论研究水平第一；工业应用规模第一；产业化、系统化和设备专有化第一，并列入国家产业政策和产品目录，陆续发布实施了4项国家标准，即：《燃料水煤浆》GB/T 18855、《水煤浆试验方法》GB/T 18856、《水煤浆工程设计规范》GB 50360和《煤炭工业矿区水煤浆工程建设项目设计文件编制标准》GB/T 50659。

根据目前国内水煤浆产业的发展情况，本规范修订后将适用范围确定为：

1 适用于制浆规模0.25Mt/a及以上，生产燃料水煤浆或气化水煤浆的新建、改建和扩建工程设计；

2 适用于单台锅炉容量为35t/h及以上，以水煤浆为燃料的新建、改建、扩建的发电、供热工程设计。

近年来，随着国内煤炭转化利用技术的引进吸收和开发利用，以水煤浆为气化原料的生产规模越来越大，截至目前，国内由于气化水煤浆的制浆技术由最初的国外引进到自主设计，尚没有针对气化水煤浆生产的相关规范指导，鉴于燃料水煤浆在生产工艺和系统设计等方面与气化水煤浆工程设计高度相似，技术上先进，系统设置合理，产品质量指标完全满足气化生产要求，且规范的相关规定完全可以涵盖气化水煤浆的工程设计，故本规范在修订版中将以水煤浆为气化原料的工程设计纳入适用范围。

1.0.3 水煤浆工程应用范围涉及各行业，因此，设计除应符合本规范的规定外，还应符合国家和相关行业现行有关标准的规定，如用于电力的《小型火力发电厂设计规范》GB 50049、《大中型火力发电厂设计规范》GB 50660；用于工业和民用的《锅炉房设计规范》GB 50041 等标准。

2 基本规定

2.0.1 本条文阐明水煤浆工程设计必须符合国家法律、法规及节约能源、保护环境等相关政策的原则要求。

2.0.2 水煤浆产品受生产原料、工艺、成本等条件的制约，对市场的依赖度很强。水煤浆工程设计应当按照相关行业和企业的发展要求，结合工程建设条件做好总体规划，处理好按规划一次建成与分期建设的关系。

随着水煤浆生产工艺及专用设备大型化的发展，为统一建设规模，实现工程设计的规范化、标准化，本条文将水煤浆厂厂型和设计生产能力进行了调整和明确划分，并说明水煤浆应用工程的厂型划分应符合电力等行业的相关规定。

2.0.3 本条文给出了确定水煤浆厂建设类型的原则，这是我国长期以来建设水煤浆厂的经验总结。水煤浆厂建设的一个重要特点是水煤浆厂对用户的高依赖性。因此，在确定建厂类型和厂址时，应充分考虑拟选的制浆原料煤特征、用户特点及要求、产品运输方式及运距等因素，避免因选择不当造成投资失误，影响水煤浆厂和用户的正常生产和经济效益。

2.0.4 不同品质的原料煤，直接关系到制浆工艺的合理选择；水煤浆产品的主要技术参数；水煤浆燃烧系统设计和锅炉、气化炉等主要设备的选型。因此，合理选择制浆的煤源与煤质、供浆的浆源及水煤浆质量，是保证水煤浆工程项目设计和建设的成功、安全经济运行的基本条件。尤其应避免选择稀缺煤种作为制浆的煤源。

2.0.6 在确定水煤浆工程的工作制度时，要充分考虑外部建设条件，工程所在行业的特点，并与用户的需求和行业特点及要求相协调。

2.0.7 水煤浆为煤基液态产品，管道输浆技术成熟，具有建设快、占地少、无污染、无损耗，连续运行可靠性高、运行成本低、维修量少等特点，当煤源、用户和建设条件适宜的情况下，应优先选择管道输送方式，形成水煤浆制备、管道运输和用户燃用的系统工程，其综合经济效益将非常显著。同时，也可以显著减少大宗煤炭运输和储存对区域环境造成的污染。

2.0.8 水煤浆已有三十多年的发展历史，历经基础理论及试验研究、小型工业性验证到大型化工业应用阶段。我国水煤浆产业的发展是经历了自主开发、技术引进与消化引收、发展并达到世界先进水平的过程。为促进技术进步，在水煤浆工程设计中应积极提倡采用新工艺、新材料、新设备，但应在工业性试验和成果鉴定证明成熟可靠的基础上，方可投入工业应用。

2.0.9 工程各系统的不均衡系数是在总结多年来已成功运行的多项工程经验基础上提出的。

1 铁路或船运来煤受卸及成品浆外运系统受铁路、码头装卸时间的限制，不均衡系数除经相关部门特殊允许外，一般宜为3.0。

2 由于受入磨煤粉粒度较细，含水量较高时容易堵塞，不宜大量储存条件的限制，为保证生产系统连续可靠运行，制浆车间的磨机前缓冲仓储量不宜设的太大，因此，水煤浆厂的原料煤系统一般采用三班制间断运行方式。当采用单路系统时，应保证系统每班有3h～4h的检修时间。当采用双路系统时，由于系统可交替运行，每路系统的不均衡系数可适当降低。

3 制浆系统设备处理能力的不均衡系数主要为调节原料煤煤质参数波动而设，选择单磨机湿法制浆时不均衡系数取1.05；双磨机配合湿法制浆，或者采用干法制浆等其他方式时，不均衡系数取1.1～1.15。

4 由于不同的原料煤、药剂、制浆工艺和燃用条件，对供浆系统、水煤浆加工处理系统和药剂准备系统的要求不同，不均衡系数差别较大，设计应根据具体情况取不均衡系数 1.15～1.4。

5 此处的管道输送指小于 10km 运距的厂区内管道输送设施。

6 废水、废浆处理系统受废水和废浆量的不确定性因素影响，不均衡系数取 1.3～1.5。

2.0.10 大型水煤浆工程指制浆能力 1.0Mt/a 以上的水煤浆厂；大型水煤浆应用工程的界定执行相关行业的有关规定。

2.0.11 生产用水的闭路循环主要指生产过程中废浆及废水回收，不产生外排量。设计应根据工艺系统特点，设置灵活的中间储存、处理和回用系统，避免产生难以回收的废浆、废水，达到节能减排，有效保护环境的目的。

3 厂址选择

3.0.1 本条文是厂址选择的基本原则。厂址选择是一项政策性强、涉及面广的综合性设计工作,不符合地区建设规划的总体要求和建厂基本条件的厂址选择方案,将会给后期工作带来难以弥补的缺憾,给国家和相关企业造成损失。

厂址位置不仅影响工程造价和建设周期,还关系到水煤浆工程长期运行的经济性和管理维护的合理性。因此,应根据建厂条件,包括铁路和公路的引接、码头方位、生活区位置、厂外管线、原料和产品运输、工程建设或扩建等条件优选确定。

本条增加了厂址选择应节约和集约用地,应尽量减少拆迁房屋,减少人口迁移的规定。增加了宜利用非可耕地和劣地的规定。

3.0.2 本条文修订后,增加了当厂址无法避开地质灾害易发区时,应工程选址阶段进行地质灾害危险性评估工作,并采取相应防范措施的规定。

3.0.3 作为水煤浆工程设计单位,既要作好设计项目的总体规划,又要对建设单位另行外委设计的铁路专用线和厂外道路等项目,就其建设标准进行必要的控制,并在平面布置、线路路径和主要设计高程等方面的相互衔接进行协调和归口管理,使整个工程在平面和空间方面达到协调。

3.0.5 有关部门同意或认可的文件主要包括:土地使用,原料或燃料供应,电源及水源供应,与外部运输方式的接口协议,铁路、公路或码头建设,消防及环境保护文件或专题报告等。

4 原料煤系统

4.1 一般规定

4.1.1 原料煤系统工作制度的制订,应充分考虑来煤条件和工作环境条件,满足制浆系统稳定、可靠运行的要求,并与制浆工作制度相适应。坑口型水煤浆厂的受卸环节,应与相衔接的矿井、选煤厂的相应系统一致;采用铁路运输、汽车运输或水路运输方式来煤的用户型水煤浆厂的受卸环节,应与来煤车船能力、卸车时间要求等相适应。考虑到破碎后的煤粒度细,缓冲仓储存量不能太大,储煤到破碎设施及制浆车间工艺环节的工作制度宜为三班工作制,并留有一定的检修维护时间。

4.1.2 本条文修订后,对系统单、双路的划分标准更加明晰。

由于原料煤系统一般采用三班制,单路系统若不能在破碎机等易产生故障的工序处设置完善的备用或旁路,并备足带式输送机驱动装置的相关备件,将不利于系统的长期可靠运行。

4.1.3 原料煤系统宜采用投资较少,维修量较低,连续运行可靠性较高的带式输送机作为系统主运输设备。

4.1.4 对原料煤采取多碎少磨是煤炭加工的通用原则。

4.2 卸煤、储煤设施

4.2.2 采用铁路方式来煤时,铁路允许的占道卸车时间,以及一次进厂的车辆数量,不同地区和不同工程的差别较大,因此,应与铁路部门协商后确定调车作业方式和卸车设备的选型。有条件的应尽量设置自备铁路专用线,提高一次进厂的车辆数量,减少调车次数。

4.2.3 经水路来煤时,由于卸煤受气候、港口等条件影响因素较多，相应需要的时间也比较长。因此，确定码头卸煤机械的总额定能力时，根据经验一般宜为全厂总需煤量的300%。当不占用航道，且卸船时间充裕时，卸煤机械额定能力和台数的设置可适当调整。

4.2.4 为节省工程初期投资，有效减少运行管理人员，降低生产成本，本条文提出工程设计中的运煤车辆和运输方案宜优先利用社会运力的规定。

4.2.5 为了保证水煤浆产品供应的可靠性，保障原料煤的供应是最基础的条件，因此，水煤浆工程应设置一定容量的储煤设施。

4 坑口型水煤浆厂设计时，应充分利用矿井及选煤厂储煤设施，并考虑在工作制度不同的条件下，自有储煤容量应能保证制浆原料煤供应的连续性和可靠性。

4.2.6 本条文强调在水煤浆生产中，因原料煤品种多样，确定储存方式和设施时应充分考虑原料煤的特性，建厂地区的地理位置、气象条件和环保要求等。

4.2.7 生产过程中制浆原料煤品质发生变化，直接影响水煤浆产品的性能指标，也涉及制浆工艺和添加剂的调整。设计如果能够充分考虑到煤种、煤质的变化情况，设置可以配煤和分别堆存设施，将有利于根据煤种变化，合理调整工艺流程及添加剂，达到稳定生产保证产品质量的目的。

4.2.10 设置2个及以上的受煤坑有利于系统稳定运行，还可以实施不同品质煤的混配制浆。

4.3 原料煤筛分、破碎及输送

4.3.1 应结合制浆原料煤的品种、特点、制浆规模和供浆要求进行筛分、破碎系统设计。目前，水煤浆生产入厂原料煤一般按小于或等于80mm采购，在此条件下，设计可以采用一级破碎流程。当进厂的原料煤大于80mm时，需要设置二级破碎流程。

用于细碎的破碎机指工艺流程中磨机前的破碎机类型。当筛分、破碎设备不设备用时，如果出现原料煤湿度大、水分高的情况，破碎过程中产生的细粒煤很容易粘在设备内壁，影响正常运转。设置旁路通道可以在处理破碎机粘堵的较短时间内维持生产运转。

4.3.2 水煤浆生产一般选用洗选加工后的精煤(有时含有一定量的末精煤或浮选精煤)或混煤为原料，设备选型时应特别注意对物料的适应性。制浆系统所要求原料煤破碎后的粒度一般小于6mm，而进厂原料煤中满足6mm粒度要求的含量通常比较低，如设置筛分工序不仅发挥的作用有限，还会因此增加生产系统的故障点，为此，适当提高破碎设备的处理能力，减少筛分环节，应当更为经济和可行。

4.3.3 煤炭在开采和运输过程中，随着成品会夹带木块、木屑、矸石、铁丝、玻璃纤维等杂物，即使经过洗选加工，在露天储存、利用敞开式车辆运输进水煤浆厂后仍不可避免地挟带杂质，如不重视除杂，异物进入制浆环节，会损坏设备，影响水煤浆厂正常生产，且入炉燃烧时还会出现堵塞燃烧用喷嘴现象，因此，应根据来煤品质设置必要和有效的除铁、除木、除纤维杂物设施。

4.3.5 本条文对原料煤破碎前、后的输送设备选型、布置及维护设施提出了要求。

除原煤外，其他洗后产品如末精煤、浮选精煤、煤泥等均是水分高、黏结性较大的物料，原料煤系统设计时，应在落煤斗、转运溜槽及煤仓角度等方面采取增滑、防堵塞和防黏附的有效措施。

4.3.6 原料煤系统产生的煤尘及煤泥水是影响工业厂区环境质量的重要因素，加强生产管理，采取合理的抑尘、降尘治理和煤泥水治理措施，可以有效地控制污染程度，保障厂区和生产场所的环境质量。

5 制浆系统

5.1 一般规定

5.1.1 应充分发挥水煤浆作为洁净能源产品的优势，优先采用低灰、低硫、易于制浆的煤种，在合理利用资源，降低加工成本，提高经济效益的同时，更好地发挥环境和社会效益。

在煤源选择时，不得采用焦煤或其他稀缺煤类制浆。在选择制气化水煤浆的煤源时，还应保证灰熔点指标满足气化炉液态排渣的要求。

5.1.2 配煤的目的是将不同类别、不同品质的煤按一定比例合理调配，从而改变煤的组分、物理性质，较好地改善制浆原料煤的成浆性和产品的使用特性，以满足用户需求。因此，在设计前进行配煤后成品的煤质分析和成浆性试验非常必要，其试验结果是指导设计的重要依据。

5.1.3 末精煤和浮选精煤由于粒度细、含水较高，是选煤厂处理和外售难度较大的成品，但又是制浆的优质原料。实践证明，以末精煤和浮选精煤为原料生产水煤浆是选煤厂优化工艺系统和产品配置的重要途径。分别制出的精煤浆、煤泥浆等产品，体现了煤炭加工利用的最佳化，并可获得经济和环境的双重收益。

5.1.4 本条文确定了制浆工艺选择的基本原则：在可靠、先进的前提下，保证适用和经济。“可靠、先进”是生产优质产品的基本保障，“适用、经济”是衡量制浆工艺合理性的基准，也是企业发展和应对市场竞争的需要。

5.1.5 添加剂是生产水煤浆不可缺少的重要原料。添加剂的主要作用在于改变煤粒的表面性质，促使煤颗粒在水中分散，使浆体有良好的流变特性和设定的稳定性。根据作用不同，水煤浆添加剂分为分散剂、稳定剂和助剂三类，其中分散剂和稳定剂为常用，用量最大的是分散剂。分散剂有阴离子型和非离子型两类，稳定剂有高分子化合物和无机电解质两类，本条文根据众多水煤浆厂的选择和长期运行经验，提出宜优先选择阴离子型分散剂和高分子化合物类稳定剂的建议。

针对不同的原料煤需要相应合理的添加剂配方，且通过成浆性试验确定。在药剂性态选择方面，一般来讲，严寒地区或水煤浆厂距添加剂生产厂较远、运输成本较高的工程，宜直接采用固态（干粉）添加剂，现场进行配制。条件适合时也可采用液态添加剂。

5.1.6 制浆原料煤的成浆性实验是确定制浆工艺，指导工程设计的基础性工作，对工艺流程拟定、主要设备选型、添加剂选择、主要工艺参数的确定起重要作用。因此，在工程设计中，对设计煤种及校核煤种应进行严格的成浆性实验。

制浆原料煤成浆性报告是水煤浆厂重要的设计依据。“水煤浆试验研究能力”是指承接完成成浆性报告的单位必须具有丰富的水煤浆工程实践经验，具备一定的水煤浆技术开发研究能力，拥有承担制浆原料煤成浆性实验成套仪器及设备，掌握不同性能水煤浆添加剂使用或研制技术的能力。

成浆性报告的内容主要应包括：

(1)成浆性实验采用的标准、方案、仪器和主要方法；

(2)选择的制浆原料煤主要工业分析、元素分析参数；

(3)制浆原料煤成浆性实验过程和分析结果（重点为浓度、黏度、粒度、稳定性、温度和抗剪切性的结果及分析）；

(4)采用2种以上水煤浆添加剂，不同添加量的实验结果对照分析；

(5)结论和推荐意见。

5.2 制浆工艺及设备

5.2.1 水煤浆生产有多种制浆工艺可供选择，包括湿法制浆工艺，干、湿法混合制浆工艺等。目前，大、中型水煤浆生产多采用湿法制浆工艺。高浓度湿磨制浆工艺具有工艺简单、投资省、成本低、适应煤种和煤质变化较大的特点。根据原料煤成浆性的难易程度，湿法制浆可采用高浓度磨矿、中浓度磨矿、中浓度磨矿与高浓度磨矿相结合以及粗磨与细磨相结合等制浆工艺，设计选择时，应结合原料煤成浆性试验结果，选择技术先进、工艺设备成熟可靠，运行成本较低，维修量较少的制浆工艺。

采用干法制粉湿法调浆工艺可以实现在水煤浆厂生产半成品原料，运输到用户炉前调浆使用，有效规避了水煤浆产品稳定性和众多小型用户运输的局限性，拓宽了水煤浆的使用范围。当选择干法制粉工艺后，设计应严格执行煤粉生产方面的现行国家标准的规定。

5.2.2 国内实施的水煤浆工程在开发制浆专用设备和选用设备上有许多经验和教训，特别是不能忽视“适用”的原则。主要工艺设备选择时应在先进、可靠的基础上充分考虑水煤浆的特点和对制浆用煤种、煤质的适应性，在此基础上，选择节能和易于维护的设备。

随着水煤浆技术的发展，新开发的制浆工艺及设备依然应遵循先进行工业性试验，取得成功后方可供设计选用的原则。

5.2.3 制浆设备处理能力的确定，主要关系到工程规模、系统配置、投资控制和工程实际效果，因此，设计应依据设备厂家提供的资料，原料煤入料粒度和可磨性等指标，成浆性实验结果，在理论计算的基础上，还应考虑制浆系统各工序产出煤浆的特点，分析对比相似磨矿设备规格和技术条件工程的实际生产数据资料，综合研究确定。

5.2.5 水煤浆成品稳定期的确定关系到水煤浆生产和使用企业的运行成本和经济效益。可通过制定适宜的制浆工艺，添加适量的添加剂，采取合理的工艺和加工措施，使成品浆符合现行国家标准《燃料水煤浆》GB/T 18855 规定和用户要求的稳定时间。

5.2.6 在水煤浆生产系统调试、设备及管道维修、事故处理及长期停运再启动等过程中，不可避免地会产生废浆、废水，设计应采取可行的工艺措施，尽可能减少废浆、废水产生。对可能出现的废浆、废水，应采取可靠的回收处理和复用措施。

5.3 制浆系统及布置

5.3.2 为实现节能降耗，降低生产成本，破碎后入磨的原料煤粒度一般设定在6mm以下。入磨粒度细有利于提高磨机产量，但对磨前缓冲仓的设置带来难题。一方面，为避免原料煤起拱堵仓，需加大仓壁角度；另一方面，角度加大后，为保证缓冲仓必要的储量，必须提高仓的高度，由此以来，制浆车间的体积及投资相应都要提高。为解决这一矛盾，必须合理确定缓冲仓容量，在保证制浆系统稳定连续运行的前提下，避免增大建厂投资。本条文规定了缓冲仓储量，并通过加强原料煤系统及磨矿系统的运行管理，以实现原料煤系统与磨矿系统的连续稳定运行。

5.3.8 冷却水系统是保障磨机等大型设备连续可靠运行的重要一环，设计时应根据设备规格和具体参数要求，结合当地气候特点进行冷却水系统设计，并做到冷却水循环使用。

5.4 添加剂配供系统

5.4.1 添加剂加入分液态或固态两种方式，加入方法包括加入形式、加入次数、剂量和加入位置应结合工艺要求确定。

5.4.2 为保障水煤浆厂的连续可靠运行，应保证有合理的添加剂储存量并与原料煤的储存量相匹配。

5.4.4 成品添加剂溶液指调配好使用浓度可以直接用于制浆生产的添加剂溶液。

5.4.6 水煤浆用添加剂有多个品种，每种添加剂在有效性、溶解度、黏度、腐蚀性、稳定性等方面有一定的差异性。因此，设计应充分考虑所选择的添加剂在卸载、储存、调配等方面特性，尤其应为添加剂设置良好的储存环境。

5.5 辅助设施

5.5.2 预防水煤浆沉淀的措施是多年设计经验和长期生产实践的总结。

4 长期停运一般指超过1周以上时间或设定的水煤浆成品的稳定期时间。

5.5.3 对生产、事故、检修等过程中产生的废浆、废水，应在设计中设置完善的储存、处理、回收复用设施，不得直接外排，以符合国家现行节约能源政策和环保排放标准的要求。

5.5.4 在制浆车间、输浆泵房和供浆泵房内，应设置废水桶(罐)或污水池，用于汇集生产、事故和检修产生的废浆、废水，并及时方便地处理或回收复用。

6 水煤浆储存与运输

6.1 水煤浆储存

6.1.2 水煤浆供应的可靠性主要通过充足的原料煤储量、水煤浆贮量、完善的制浆工艺系统、便捷的运输方式和运输途径来保证。在确定储浆罐容量时，要考虑水煤浆厂短期故障状况下必要的产品储存；大型运输设备的一次装车要求和水煤浆成品的稳定期，平衡与主要用户工作制度不均衡需要的容量等因素。按照现行国家标准《大中型火力发电厂设计规范》GB 50660 和《小型火力发电厂设计规范》GB 50049 等设计规范以及国内长期运行的水煤浆应用工程实例，考虑因气象等条件影响来浆因素后，本规范提出不同类型水煤浆厂的储浆容量。对发电、供热厂的储浆容量规定了最不利运输情况下应大于全厂 10d 耗浆量，对其他用户的储浆容量，按不宜小于全厂 7d 耗浆量进行设计。

6.1.3 根据水煤浆产品的特点，合格品长时间储存后，由于置换性较差，一些陈旧、过稳定期的浆会在储浆罐中留存，或与新到的浆局部混合，产生不同程度的沉积，需要定期清底。设计必须考虑储浆罐有定期清罐检修的条件，以保证水煤浆的连续生产以及产品的可靠供应。因此，储浆罐的数量不应少于 2 座。

水煤浆设计在选取浆源时，一般选设计和校核两种或两种以上。当来浆为不同品质时，考虑到原料煤不同、水煤浆生产工艺不同、采用的添加剂不同等因素会引起水煤浆的黏度、稳定性等指标的变化，以不同品质的水煤浆不混为宜。因此，储浆罐也应设 2 座及以上，便于生产运行调整和检修处理。

6.1.4 水煤浆产品储存一般采用钢制储浆罐。根据水煤浆特性及储存要求，可按照现行国家标准《立式圆筒形钢制焊接油罐设计规范》GB 50341 进行设计。

3 储浆量在 3000m^3 及以上称为大型水煤浆储罐。

7 水煤浆储罐长期使用后，罐壁可能产生的锈蚀物或不合格涂层脱落进入浆体，将严重影响水煤浆产品质量，因此，应做好罐体内壁及与浆体接触的附属设备的除锈、防腐蚀处理。

6.2 水煤浆运输

6.2.2 项目建设条件具备，指水煤浆生产企业与用户达成一致意愿；水源、电源、管线占地、管线穿跨越位置等落实；项目立项、环境影响评价等审批通过。

长距离管道输送指超过 10km 运距，水煤浆浓度不变的输送方式。将水煤浆采用管道埋地密闭输送到终端用户的方式，完全避免了产品在运输过程中的污染和损耗，供应可靠、便捷，与铁路和公路运输相比，投资低、占地少、运行成本低，综合经济效益显著。设计除应执行本规范的相关规定外，还可按照中国工程建设标准化协会现行标准《浆体长距离管道输送设计规程》CECS 98:98 的相关规定执行。

7　计量与质量检测

7.0.2　化验室和煤样室的设置是保障水煤浆工程建成后正常运行的重要条件。当水煤浆应用工程所需水煤浆为外购时，可根据用户要求确定是否建煤样室。

7.0.3　依据现行国家标准《水煤浆试验方法》GB/T 18856 相关规定，定期对生产过程中的水煤浆半成品和成品进行取样、化验，对于保障产品质量十分重要。

7.0.4　化验室应配备检测水煤浆工程生产运行中经常需要的水煤浆浓度、粒度分布、表观黏度、稳定性、pH 值指标和原料煤的水分、灰分、发热量指标的仪器。检测煤的挥发分、硫分等指标的仪器可根据用户要求和投资情况配置。

8 水煤浆供应系统

8.1 一 般 规 定

8.1.1 水煤浆供应系统在保证运行可靠的前提下，宜按分期建设考虑。为节约投资，根据建设规模，经技术经济比较后，可采取土建工程一次建成，预留后期设备安装位置的办法。

改建、扩建工程，应充分考虑利用原有设施，包括水、电、控制、暖通及建(构)筑物等设备和设施。

8.1.2 当改建工程需要保留或部分保留原有燃料供应系统时，新增的水煤浆供应系统，应在满足锅炉安全可靠运行要求的前提下，与保留的燃料供应系统互为备用或配合使用。

8.1.3 当水煤浆应用工程项目建设内容包括水煤浆生产系统，并在同一工业场地时，水煤浆生产系统在整个工程中是一个独立的燃料或气化原料生产系统，应按照水煤浆厂的设计规定执行。水煤浆成品的输送、储存、炉前加工系统、工业废水处理和化验室等，可以和水煤浆生产系统一起，统一考虑和设计。

8.2 卸浆、输浆

8.2.1 水煤浆产品在国内外已实现多种运输方式，包括采用铁路罐车运输；汽车罐车公路运输；水煤浆生产厂至用户的长距离管道输送以及大型船载水路运输。采用联运方式包括采用铁路—管道输送联运、公路—铁路联运、铁路—水路—公路联运以及水路—公路联运等运输方式。因此，卸浆设施的设计应能满足不同运输方式来浆。

1 铁路来浆时，水煤浆铁路罐车一般采用铁路运输粘油罐车。根据已运行水煤浆工程的使用经验，一节铁路罐车从打开卸浆口自流到卸完一般需要3h～4h，每天来车次数可达2次～3次。

8.2.2 卸浆方式及设备选择，应根据水煤浆特性、运输方式等情况，经技术经济比较后确定。

1 目前国内运行的水煤浆工程，针对运浆车辆—铁路罐车和汽车罐车的卸浆口位置相对较低，卸浆管径较小及便于平面布置和生产运行考虑，均采用重力自流方式。

2 水路来的水煤浆运输船浆位一般低于码头陆地平面，适宜采用抽引强制卸浆方式，尤其是大型水煤浆运输船，宜采用自带泵卸浆。

3 水煤浆是两相流体，黏度在800MPa·s～1200MPa·s范围，磨蚀性较高，采用低转速、容积式的泵可以有效延长易损件使用寿命。

8.2.5 车间及厂区输浆管道设计应根据产品特性和生产运行条件制定设计方案。

5 对有压缩空气来源的炉前系统，炉前回浆管道停止运行进行管道水冲洗前进行压缩空气吹扫，可以减少水煤浆损耗。

9 水煤浆管道输送系统长期运行或者多次开、停后，管道内难免会产生沉淀甚至堵管现象，分段设置法兰连接处，将给生产维护检修提供方便。

8.2.6 采用管道输送水煤浆的方式供用户，燃料供应可靠性高，事故率低。对于邻近浆源运输距离较短的用户，采用管道输送并架空敷设方式便于施工、巡视、维护和运行管理。

8.3 炉前供浆

8.3.2 炉前供浆系统设计及设备选型直接影响锅炉或气化装置的安全运行。

1 目前国内燃浆用户的炉前供浆系统，均设2个水煤浆缓冲搅拌桶。生产运行中可以方便和迅速处理即将使用的水煤浆，当输浆系统出现故障时，能够在2h内保证为锅炉正常供浆。对多台大容量锅炉的炉前供浆系统，在提高输浆系统可靠性的前提下，供浆系统可分别按锅炉台数分单元设置，各搅拌桶间相互连通。

2 水煤浆在储存、输送和加工过程中，少量浆体会附着在桶、罐等设备和管道的内壁上，与空气接触后形成干状结块并掉入浆体，也有可能存在外来杂物混进浆体情况。这些结块和杂物如进入炉前输浆管道，会堵塞水煤浆喷嘴，严重影响锅炉正常运行。因此，炉前设水煤浆过滤环节是必要的。

3 供浆泵是保证锅炉运行的重要设备。向锅炉供浆正常情况下为2台泵，当一台供浆泵突然出现意外故障时，仍应有另一台供浆泵在工作，至少能够保证50%的供浆量，避免出现锅炉断浆熄火，此时，操作人员应迅速提高正在工作的供浆泵转速，满足100%的供浆量，同时启动备用泵，恢复正常运行状态。因此，供浆泵应配调速装置。

4 当选用单螺杆泵作为供浆泵时，主要易损件为泵的转子和定子，使用寿命有限，需要经常检修和更换，因此，配备3台供浆泵为这些年来设计和生产单位认同的普遍做法，可靠性较高，也得到了现场长期运行的验证。同时，应慎重选择泵的转速以延长易损件寿命，降低运行成本和日常维修量。

8.3.4 为保证锅炉安全运行，各台锅炉的炉前供浆管路采用母管制非常必要。炉前供浆管道设置流量计量装置、压力调节装置和温度计量装置对于安全操作和管理非常重要。

8.3.6 在水煤浆管路的适当位置设水和压缩空气管路接口，可用于水煤浆管路的清管或不定期吹扫。

8.3.7 水煤浆温度的提高将明显降低水煤浆的黏度，改善水煤浆的雾化条件，提高燃烧效率，尤其在严寒地区，增设水煤浆加热设施是必要的。

9 水煤浆燃烧系统

9.1 一 般 规 定

9.1.4 随着国家环保排放要求逐步提高，市场对新型、高效的烟气净化处理工艺技术和配套设备的要求将越来越高，因此，设计在确定烟气净化工艺和设备选型时，一定要结合工程实际情况和建设条件慎重选择，留出处理余地，避免重复改造给国家和企业带来不必要的损失。

9.2 锅 炉 设 备

9.2.1 水煤浆的特性参数指水煤浆的浓度、黏度、粒度组成、发热量、流变性、视密度、挥发分、灰熔点、灰成分、灰的比电阻等基本技术数据。

9.2.2 本条是关于电站锅炉选择的规定。

2 电站锅炉选择的规定从以下方面考虑并确定：

1)为减少锅炉备品备件数量，并方便运行、维护和管理，规定同容量的锅炉，宜采用同厂、同型设备。

2)在气象条件适宜时，锅炉采用露天或半露天布置，可以节约投资，缩短建设周期。

3)供热式发电厂要结合热力规划、近期和远期热负荷以及季节性变化或昼夜峰谷差，合理配置锅炉的台数和容量。不同容量锅炉机组的搭配，可以提高锅炉机组运行的灵活性和经济性。

5)为避免锅炉故障停运时没有供热热源，在无其他热源的情况下，供热式发电厂一期工程，不宜选择单台锅炉作为唯一的供热热源。

3 当供热式发电厂1台容量最大的蒸汽锅炉停用时，其余锅炉应能满足冬季供暖、通风和生活用热量的60%～75%，严寒地区取上限75%，非严寒地区取下限60%，以满足不同地区供暖平均室内温度的要求。

4 当发电厂主蒸汽管道采用母管制时，原有锅炉总容量往往超过原有汽轮机最大工况时要求的总蒸汽量，甚至超出很多，此时扩建机组时，锅炉容量的选择，应连同原有锅炉容量统一计算。

9.2.3 工业锅炉选择的规定从以下方面考虑并确定：

1 设计热负荷计算的正确性直接影响到锅炉选择和对锅炉房设计容量的确定。应尽量取得各用户的热负荷曲线作为设计依据，当有热平衡系统图时，也可据此进行计算。当缺少上述资料时，锅炉房的设计容量，应按下列各项耗热量确定：

(1)生产、生活、供暖和通风的小时最大耗热量，并计入同时使用系数；

(2)热力管道的热损失；

(3)锅炉房自用的热量。

2 锅炉台数和容量的确定不仅考虑全年负荷低峰期锅炉的工况，更应满足最大的计算热负荷，且适应热负荷变化。

9.2.4 原燃油、燃气或燃煤锅炉改为燃水煤浆锅炉主要有三种炉型：

(1)原设计为煤粉锅炉后改成燃油或燃气的锅炉；

(2)原设计为燃油或燃气锅炉；

(3)燃煤锅炉。

以上三种炉型国内都有典型的改造运行实例，如山东白杨河发电厂原1#～3#炉和广东茂名热电厂原1#～2#炉等改烧水煤浆的锅炉为第一种；广东汕头万丰热电有限公司1#～2#炉和南海电厂1#炉等为第二种；沈阳石蜡化工有限公司热电分厂改烧水煤浆的1#炉则是原设计为燃煤的循环流化床锅炉改为燃水煤浆锅炉等为第三种。

目前，国内新建或改造的水煤浆锅炉设计一般参照煤粉炉的炉膛容积热强度进行计算和校核，故原设计为煤粉锅炉改烧水煤浆后，都能达到原设计出力。燃油、燃气锅炉由于炉膛容积较小，为了减少改造投资，在不对锅炉进行较大调整（提高汽包高度，增大炉膛容积等），仅对锅炉的燃烧器、水冷壁等部件小范围进行改造和调整的情况下，锅炉改造后的出力一般均能达到原设计出力的70%以上，改造项目的技术、经济指标是可行和合理的。

9.3 燃烧系统设备

9.3.1 130t/h～220t/h锅炉燃烧系统设备由于引风机运行条件差，事故停运率高，为保证锅炉机组安全可靠运行，宜装设2台引风机。

9.3.2 220t/h及以上锅炉选择送风机、引风机的规定从以下方面考虑并确定：

（1）保障送风机事故率低。根据锅炉房的布置要求，当一台风机停用时，另一台风机通过连通风道可带机组60%～70%的额定负荷。

送风机的风量裕量和压头裕量主要是考虑燃料、介质温度、管道和风机特性等的变化以及空气预热器的漏风增加等因素。

（2）引风机输送含尘和温度较高的烟气，选用时要考虑风机效率、调节性能、耐磨性、投资、检修维护条件及对灰尘的适应性等。

每台锅炉设置2台引风机时，一台停用情况下，另一台能满足锅炉最低不投油的稳燃负荷。当负荷工况变化较大，燃料结构复杂时，引风机台数可多于2台。

引风机的风量裕量和压头裕量主要是考虑空气预热器漏风量的增加、烟气温度升高、空气预热器堵塞、风机特性变化以及频率降低等因素。

9.3.4 原燃油、燃气或燃煤锅炉改造成为水煤浆锅炉，锅炉本体及燃烧系统设备应考虑的内容主要包括：

1 在条件具备的情况下，优先采用四角切圆燃烧方式，有助于组织和调整运行工况和负荷，使水煤浆在炉膛中充分燃烬。

2 水煤浆燃烧特性与煤粉和油不同，需要采用适合水煤浆低氮燃烧专用的燃烧器和浆枪。

3 锅炉改烧水煤浆后，入炉的燃料与燃油、燃气相比发生了显著变化。燃料油或可燃气中灰分很少，水煤浆一般含灰分小于8%，炉内会发生结焦、集灰、磨损等现象，故需要增加看火孔、吹灰孔、打焦孔、测量孔等煤粉炉中通常需要设置的设施。

4 水煤浆的燃烧包括：水分蒸发、挥发分析出和着火燃烧、固定碳燃烧、焦炭燃烬四个主要阶段，与燃油相比燃烬时间长，燃炬长，炉膛内的火焰中心将会上移。同时，由于烟气中含有的水分，使进入锅炉水平烟道及锅炉尾部的热量增加，锅炉本体内各段受热面的吸热量发生了较大的变化，原有过热器数量及减温器水量也与原设计锅炉相应的参数有较大不同。故本条文要求对改造锅炉的过热器应进行计算和分析，以确定合理的改造方案。

5 由于水煤浆中含有一定灰分，为了保证锅炉寿命，对原有省煤器需要增加防磨措施。还应考虑脱硝系统对烟气温度的要求。

6 燃油、燃气锅炉改烧水煤浆，在锅炉结构允许的情况下，宜合理调整空气预热器及空预器连箱位置，或增加一级空气预热器，兼顾热风温度和进入脱硝系统烟气温度，并考虑采取防磨和低温防腐措施。

7 为适应脱硝系统布置要求，应根据烟气脱硝工艺要求对锅炉本体烟道进行相应的改造。

8 锅炉改烧水煤浆后，烟气中携带的灰分会在锅炉本体一些部件的表面及锅炉尾部积存，对锅炉的传热产生影响，因此，应装设吹灰装置。

9.3.5 随着现行国家和地方的环保标准不断提高，节能减排、保护资源和环境各项政策的推行，对除尘器的效率和灰渣综合利用也提出了更高要求，这也是选择除尘器应遵循的基本原则。

1 对于670t/h及以上锅炉，每台炉设置的除尘器台数不宜少于两组，主要是从以下几方面考虑的：气流分配的均匀性，运行的安全性，安装、检修和运行维护工作量，占地面积和投资，国内外的实际经验等。420t/h及以下锅炉可只设一组。

9.3.8 接入同一座烟囱的锅炉台数，应根据锅炉容量、环保要求及布置等条件综合考虑。锅炉烟气应尽量集中排放，使一座烟囱接入较多台数的锅炉，但又要控制在一台锅炉运行工况下的最低出口流速，使其不低于烟囱出口高度处平均风速的1.5倍。据此，接入同一座烟囱的锅炉台数不能太多，否则，将使烟囱出口流速超标，烟囱排烟筒内部出现正压。根据理论分析及实践经验，接入同一座烟囱的锅炉台数上限为4台。

9.4 点火启动、助燃及水煤浆雾化

9.4.1 锅炉点火启动及助燃用燃料的选择主要取决于市场供应条件，需要经综合技术经济比较后确定。国内多数锅炉的点火及助燃采用品种单一的轻油，具有采购和储运方便，环境卫生好，生产管理简单等优点。当水煤浆应用工程附近有可燃气（如煤矿瓦斯气、钢铁厂高炉煤气、焦炉煤气，炼油厂、化工厂的排气等）供应时，也可采用可燃气点火启动和助燃，不必另设点火油系统。

重油虽然比轻油节省运行费用，但油品种类和质量不稳定，差别较大，给锅炉运行带来一定影响。当重油供应和油品的品质有保证时，可用重油点火或助燃。

9.4.3 点火启动及助燃油的运输方式，主要由油源的远近、燃油量及运输条件决定。当所建工程就近有油源时，采用管道输送方式设施简单，投资省，机动灵活，便于管理。

9.4.5 点火启动和助燃油油罐的个数、容量，取决于油种、锅炉燃油耗量和来油周期，而锅炉燃油耗量又与锅炉点火、调试、运行等情况有关。220t/h以下锅炉，由于燃油量比较少，1个～2个相应容量的油罐可满足最大1台容量的锅炉点火用油要求。220t/h～

410t/h锅炉，宜设2个200m³～500m³油罐。670t/h及以上锅炉，应按照现行国家标准《大中型火力发电厂设计设计规范》GB 50660的相关规定执行。

9.4.6 对于130t/h及以下锅炉，供油泵的出力按容量最大的一台锅炉在额定蒸发量时所需燃料的20％～30％选择，也是基于锅炉的燃烧稳定性及锅炉内水动力特性决定的。按此计算，供油泵设2台，一用一备为宜。对于220t/h及以上锅炉，供油泵宜为3台。

9.4.8 本条规定每台锅炉的供、回油管道上，应装设油量计量装置；在供油总管上，可根据需要决定是否装设油量计量装置。

在锅炉供油管道上装设快速切断阀是现行电力行业标准《电力工业锅炉压力容器监察规程》DL 612的规定。事故状况下，当供油快速切断阀关闭时，为防止回油总管上的压力燃油倒回入锅炉油喷嘴，要求同时切换回油管路，故宜在回油管道上装设快速切断阀或止回阀。

9.4.9 为保证燃油的输送和雾化条件，对黏度大、凝结点高于冬季最低平均环境温度的燃油，其卸油、储油及供油系统应设置加热、吹扫设施。设置的蒸汽吹扫系统应有防止燃油倒灌蒸汽系统的措施，如在蒸汽管上加装止回阀、监测阀等。

9.4.11 油料与钢铁、空气的摩擦以及油流的相互冲击，都可能产生高的静电压及由此引起的火花，这往往是引起油罐燃烧和爆炸的一个原因，故要求在燃油罐和输油管道设计中不仅考虑防爆、防火，还要采取防静电和防雷击措施。

9.4.12 水煤浆的雾化需要选择来源可靠、技术经济合理的汽(气)源。目前采用的雾化介质主要为蒸汽和压缩空气。一般电厂都有1.2MPa以上的汽源，可直接引来或由较高压力汽源减温减压后获得，这样可降低投资且运行可靠。容量小的锅炉可采用压缩空气。当采用压缩空气雾化时，应结合现场条件尽量提高雾化介质的入炉温度。

9.5 锅炉房布置

9.5.1 锅炉设备特点主要指锅炉本体的形式(露天、紧身罩封闭或屋内式)等对锅炉房布置的影响。

锅炉及辅助设备应按照工艺流程的要求合理布局,管线及电缆布置整齐,简捷,减少运行阻力小,为安全运行和检修维护带来方便。

9.5.2 厂房柱距是根据锅炉等主要设备的尺寸经布置后确定。为有利于土建构件的制作和施工的方便,厂房的柱距应尽量统一。

跨度对厂房土建造价影响很大,锅炉房的跨度主要取决于锅炉容量、台数和布置型式,在设计确定时宜符合建筑设计统一模数。

9.5.3 为便于运行人员的巡回检查和操作,主要阀门等应布置在便于检查和操作的地方;对于布置高度超过 2.2m 或离开平台边沿较远的人员难以到达的场所,需增设维护操作平台、楼梯,或设置传动装置引至楼(地)面进行操作。

9.5.4 在锅炉房运转层靠近锅炉适当位置设置水煤浆枪放置架、检修工作台和水煤浆枪的冲洗设施是为了方便锅炉操作人员日常操作,检修和清洗。

10　总平面布置及地面运输

10.1　一 般 规 定

10.1.2　本条是为保证厂区布置合理，满足工艺流程要求，并为企业近、远期发展，生产、运行和管理方便创造条件而制订。修订的条文中增加了"总平面布置应节约集约用地，提高土地利用率"；"当厂区地形坡度较大时，建(构)筑物的长轴宜顺等高线布置"和"主要生产车间应布置在厂区的适中位置，生产附属建筑物宜分类联合布置"等内容。

10.1.3　水煤浆在应用过程中有煤尘、噪声、废水和灰渣的产生，因此，从工程总体布置开始就应当根据当地气象和地形因素，采取必要措施，减少对环境的危害。

10.2　总平面布置

10.2.1　本条文要求主要建(构)筑物应布置在地基承载力较大地段和地下水位较低的填方地段，减少地下设施工程量，以节省工程建设费用。

10.2.2　各建筑物的零米标高与室外地面的设计高差应根据实际情况确定，且不应小于0.15m，可防止因建筑物沉降和雨季到来等因素引起室外地面水倒灌入室的可能。在地质条件良好的少雨干燥地区，可采用0.15m。

10.2.4　原料煤准备系统在布置时利用地形高差，减少转运环节，有利于缩短原料煤的运输距离，降低运行成本。

储煤场布置在厂区的常年最小频率风向的上风侧，有利于减少煤尘对厂区主要厂房或辅助建筑物的污染。

10.2.5　一般情况下，储浆、输浆设施宜布置在制浆车间附近；水煤浆装车外供或卸浆设施的布置应临近管廊或厂区出入口位置，以缩短运输距离，并便于运行管理。

10.2.6 对制浆规模适中和厂区布置有条件的情况下，制浆车间与添加剂调配间合并布置有利于生产使用和管理。

10.2.7 本条文强调炉前供浆泵房应靠近锅炉房或与锅炉房合并布置，有利于锅炉安全运行和管理。

10.2.8 废水处理站布置在地势较低和各条管路汇集布置相对短捷的场地，可减少煤泥废水堵管情况发生的概率。

10.2.10 除灰渣设施污染和噪声比较大，应避开厂前区和主要人流通道。

10.2.11 设置专用的原料煤、水煤浆、燃料油和灰渣等货品出入口，使人流和货流分开，有利于保障人员及生产运行安全，维持厂容整洁。

10.2.14 厂区场地排水系统设计可根据具体条件采取不同方式，如采用雨水口接入城市道路下水系统的主干管窨井内的系统，或采用明沟接入公路型道路的雨水排水系统。对于阶梯布置的厂区场地，每个台阶应有排水措施。对山区或丘陵地区的厂区场地，在厂区边界处应有防止山洪流入厂区的设施。有条件时，应采用自流排水方式以节省初期投资。

3 由于雨水原因，储煤场及周围会产生不能直接排放的煤泥水，故应设煤泥水处理设施。

10.2.15 在进行管线综合布置时，要涉及许多专业，本条规定厂区内的主要管线、管架和管沟应按工程的规划容量统一考虑，集中合理布置。以达到统一考虑问题，避免失误，有利生产、方便施工和节约投资的目的。

10.2.16 管线敷设方式是体现厂区总平面布置的合理程度，衡量工程设计水平的重要标志之一，本条文列出水煤浆工程涉及的主要管线敷设方式确定的基本条件。

10.3 地面运输

10.3.1 各种运输方式对所建水煤浆工程有其局限性和适用范围，特别是当供煤与制浆、制浆与应用工程相对距离较远时，运输问题更为突出。选择哪种方式受多种因素制约，因此，应进行技术和经济比较，确定合理的方式。

10.3.3 本条文在原规范条文第10.2.3条基础上增加了水煤浆工程主要进厂道路设计的相关规定，并提出采用管道输送方式时，应尽量少占用农田。

11 电　　气

11.1 供电系统

11.1.1 本条文对水煤浆工程的电力负荷等级划分作出规定。“特别需要”指水煤浆应用工程中配备的供浆泵、送风机和引风机等保障系统运行的关键设备。厂用电负荷设备按生产过程的重要性分为三类，详见现行电力行业标准《火力发电厂厂用电设计技术规定》DL/T 5153 等的规定。

11.1.2 本条文规定了水煤浆工程供电系统设计的基本原则和设计应考虑的内容。水煤浆工程供电设计应以所在地区电力系统现状及发展规划为依据，并综合供电有关因素，经技术经济论证后合理确定。

11.1.4 “厂、变合一”的供电管理方式是指将专用变电所的开关设备、保护控制设备等与水煤浆工程的同类设备统一进行选择和布置。这种供电管理方式能节省投资，相对减少运行管理人员。

11.2 配电系统和负荷计算

11.2.1 本条文规定了在电气主接线设计时应遵循的原则和应考虑的因素。水煤浆工程分期建设时，特别强调了主接线的设计应考虑便于过渡的接线方式，否则会造成投资的浪费。

11.2.2 对主接线设计常规采用单母线接线。有双回路进线时，均采用单母线分段接线。运行实践证明，上述接线方式能够满足水煤浆工程运行的要求。

11.4 无功功率补偿

11.4.1 本条文确定了水煤浆工程无功功率补偿设计的基本原

则。无功补偿容量的分配应根据水煤浆工程的供电系统潮流计算，经技术经济比较确定。无功补偿容量布局要合理，力求做到“就地平衡”。

11.5 机组启动

本条文规定主电动机启动时，其母线电压降不宜低于85%的额定电压，以保证主电动机顺利完成启动过程。经过准确计算，主电动机启动时应能保证其启动力矩大于静阻力矩，并能产生足够的加速力矩使机组速率上升。当供电网络中产生的电压降影响其他用电设备正常运行时，需采用软启动。

无论采用哪种启动方式，根据实际需要均可计算启动时间和校验主电动机的热稳定。

11.9 通信

11.9.1、11.9.2 通信设计对于水煤浆工程安全运行是十分重要的。值班调度员通过通信手段指挥排除工程故障与处理事故。因此，本条文规定水煤浆工程应有专用的通信设施。

生产调度电话和行政电话是合并还是分开设置，应根据具体运行的调度方式及之间的关系而定。一般设置行政和调度电话合一的通信设备。

12 控制及自动化

12.1 控制及自动化水平

12.1.1 对于新建的水煤浆工程，应根据投资情况来确定控制及自动化水平。投资高的工程，可设置更多的自动控制回路及远方操作功能，并在 DCS 中加入先进控制软件来提高控制回路的性能。

对于改建、扩建工程，在原有系统及控制设备基本不变的情况下，宜在原有控制室内新增一套计算机或常规仪表盘来管理新增的工艺系统，使新老控制设备完成对整个工艺系统的控制。

12.1.4 随着计算机技术的发展，当采用分散控制系统或可编程序控制器时，均应能做到在控制室内以 CRT 及键盘为监控中心，实现运行的监视和调整，停机和事故处理。

12.2 控制方式及控制室

12.2.2 设备之间的联锁宜在控制室计算机系统中设置，就地可不设联锁。

12.2.4 通常情况下，辅助车间独立于主厂房单独运行。在条件许可时，可将辅助车间的全部参数送至主厂房控制室，并由控制室监控全厂的设备。

12.2.6 水煤浆工程分期建设时，各期的控制方式应统一。在采用集中控制时，控制室面积应留有后期设备的位置，使得工程全面完工时，控制室能够对全厂的设备进行监视和调整。

12.3 检　　测

12.3.5 由于水煤浆的黏稠和易堵特性，选用电磁式流量计可适应这些特点。根据水煤浆的黏稠和易堵特性,压力测量采用膜片形式,取压部件用大小头能有效防止管路堵塞。

12.4 信 号 报 警

12.4.2 使用计算机系统时,信号报警各功能由计算机系统实现。使用常规仪表盘时,信号报警各功能由常规仪表实现。

12.5 保护及联锁

12.5.2 原料煤系统设可供操作人员选择流程的按钮,便于在设备出现故障时,立即停止故障点前逆煤流的所有相连设备。

12.5.4 使用计算机系统时,实现此功能简便易行。使用常规仪表盘时,此功能可简化。

12.8 电 缆 敷 设

12.8.2 电缆敷设时,应依照电压等级的高低按以下顺序进行排列:动力电缆、控制电缆、热控电缆、通信电缆。对于制浆车间的电源等动力电缆,一般情况下电缆根数较少,宜合并在电气动力电缆层中敷设。

12.8.3 模拟量的电缆宜与动力电缆分层敷设,目的为避免动力电缆对控制模拟量信号的干扰。在特殊情况下,应使用隔板将动力电缆和控制电缆隔开。

13 给水与排水

13.1 水　　源

13.1.3 为合理利用资源，降低生产成本，本条文在原规范第13.1.3条的基础上增加了优先选择城市中水或生产废水制浆的规定。

13.2 室外给水排水

13.2.1 水煤浆工程用水量指标、小时变化系数（K）和用水时间等应按本条文规定计算。

5 制浆生产用水量应按工艺确定的产品浓度，减去入料煤总含水后的小时添加水量等，以及每班生产时间计算后确定。制浆系统日冲洗用水按10min～20min制浆用水量的计算值，为总结多年来水煤浆工程设计和运营后推荐的指标。

14 供暖、通风与空气调节

14.1 供　　暖

14.1.1 室外计算参数的确定直接关系到工程供暖系统投资及能耗的多少，现行国家标准《采暖通风与空气调节设计规范》GB 50019 及《民用建筑供暖通风与空气调节设计规范》GB 50736 中给出的室外计算参数完全可以满足水煤浆工程设计需要。

14.1.2 设置集中供暖建筑物的规定主要是考虑到夏热冬冷地区。以往夏热冬冷地区不设供暖设施，致使冬季房间内温度偏低，对生产与生活产生一定的影响，可以根据建设条件自行增加这部分投资，以改善生产、生活条件。

14.1.4 水煤浆工程的建筑物基本上属于常规建筑，按照现行国家标准《采暖通风与空气调节设计规范》GB 50019 中的规定进行供暖热负荷计算，能够满足生产使用要求。

14.1.5 水煤浆工程与煤炭行业的选煤厂工程和电力行业的发电、供热工程较为相似，各项建筑的室内设计温度主要是参照这些工程中相类似的建筑确定。

14.2 通风除尘与空调

14.2.1 随着各行业对工程项目自动化程度要求的不断提高，工程所用的控制元器件档次也逐步提升，这些控制元器件对工作的环境温度有一定的要求，为保证控制系统的正常运转，本条提出对如集中控制室、计算机房等生产场所应采取必要空气调节措施，保证这类房间的温度满足使用要求。

14.2.2 在生产过程中，筛分破碎车间由于粉尘较大，自然通风一般难以满足排放标准的要求。受煤坑多数情况下位于地下或半地下，难以利用自然通风，如果落煤导料槽密封不好，还有煤尘的泄漏，对受煤坑的工作空间也产生一定的污染，对这些场所，只有设置机械通风和除尘系统，才能满足环保卫生要求。

14.2.3 煤炭工业在多年的生产过程中，经对多个选煤厂的调查反映，煤的外在水分大于7%时，煤外表面较为潮湿，煤尘产生量较少，因此，本条以煤的外在水分小于7%作为设置除尘装置的分界线。

14.2.4 要求除尘装置应与工艺设备连锁，是为了保证生产设备开启时除尘设备先运行，工艺设备后开；停止时，工艺设备先停，除尘设备后停，最大限度减少煤尘对环境的污染。

14.3 室外供热管网

14.3.1 影响室外供热管网敷设方式确定的因素很多，应统筹考虑以最终确定热网的敷设方式。

14.3.2 供热管网采用枝状布置是比较常用的方式，实践证明也是比较安全、可靠、较为经济的一种布置方式。当管网沿建筑物外墙及在通廊栈桥内敷设时，还可省去管架费用。

14.3.4 将供热管网与工艺管道同架敷设可以减少占地面积和不必要的投资，使厂区布置更合理。

14.4 保温

14.4.1 严寒地区是指最冷月平均温度小于或等于－10℃的地区。为防止因储存时间长引起储罐内水煤浆结冻，减少伴热管的能量损失，本条规定在严寒地区，对室外储浆罐、管道和阀门必须采取伴热、保温等防冻措施。

14.4.2 用热水作为伴热介质比较经济和取用方便，但伴热管与被伴热管之间应有一定的间距，其主要目的是避免伴热水管与水煤浆管和储浆罐外壁直接接触，造成水煤浆被加热后脱水干结，影响产品质量。伴热介质温度的规定部分是出于能方便的与供热系统使用同一热源的目的。

14.4.3 储浆罐保温厚度计算涉及室外环境温度的取值。按冬季供暖室外计算温度来计算保温层厚度,是为了保证储罐内水煤浆在规定的时间内不冻结,并保持储罐内浆体具有一定的温度,保持较好的流动性。

15 建筑与结构

15.1 一般规定

15.1.1 随着我国经济的发展，社会进步和人民生活水平及审美要求的提高，建筑产品不再只是人们物质生活的需要，同时还要满足人们精神生活的需求，不应忽视人们对美的追求，建筑应具有时代感和良好的艺术效果，并与周围环境相协调。

15.1.2 建筑标准的高、低与它自身的功能，在生产环节中所占的地位、工艺要求和建筑物在工业场地的位置，乃至工程项目所处地域特征等方面有直接关系，因此，在确定其建筑标准时，应符合现行国家标准的相关规定。

15.1.3 本条文规定了结构设计必须遵循的基本原则。结构构件必须满足承载力、变形、耐久性等要求，对稳定、抗裂度、裂缝宽度有要求的结构，应进行以上内容的验算。结构布置采用统一模数，采用成熟的新技术、新结构，并应合理选用新材料，充分利用现有的标准设计，并有利于机械化施工。

15.1.7 地基与基础设计，对不良地基、荷载差异较大、建筑结构体型复杂、原有建筑物等情况，应计算地基的沉降变形和稳定。地基处理应因地制宜，制定行之有效的处理方式。

15.1.8 本条是根据现行国家标准《建筑抗震设计规范》GB 50011、《构筑物抗震设计规范》GB 50191、《建筑工程抗震设防分类标准》GB 50223 和《建筑结构可靠度设计统一标准》GB 50068 的规定，结合水煤浆工程的实际情况而制订。

15.1.10 水煤浆工程主要车间设备自重和物料等荷载较大，在楼面活荷载中没有考虑，应按实际情况进行结构布置和结构计算。对于正常使用极限状态中的长期效应组合，要使用活荷载的准永久值系数。本条所列主要车间楼面活荷载的标准值参考了发电厂、选煤厂设计规范中相关车间的楼面活荷载的标准值,未涵盖的水煤浆应用工程相关车间的楼面活荷载的标准值应执行现行国家标准《小型火力发电厂设计规范》GB 50049;《大中型火力发电厂设计规范》GB 50660 和《火力发电厂土建结构设计技术规定》DL 5022 等标准的规定。

15.1.11 主要车间及栈桥检修道、人行道的宽度系指净宽。

15.2 建筑物与构筑物

15.2.2 对于长度超过 150m 的运煤栈桥、地道,为了方便工作人员出入,应在栈桥、地道中部设置出、入口。

15.2.4 在确定制浆车间的结构型式时应根据工艺要求和设计基础条件,经技术经济比较后确定。

1 制浆车间平面采用横向布置,以磨机间山墙作为扩建端,扩建时可以不改变原结构的受力性能,还可以利用原有桥式吊车,以达到节省投资的目的。

4 厂房内各楼层的洞孔较多,为了防止楼面冲洗时污水及产生的废渣流到下层,影响生产和车间的环境,危及安全,应在洞孔周围设置凸台或者采取加盖板等防止冲洗废水溢流入下层的措施。

5 集中控制室内的设备和工作条件都要求有一个较卫生的、安静的环境。为了防止车间内粉尘和噪声的干扰,有必要设置双层隔音窗和密闭门。室内地面应采用不易起尘的建筑材料。

15.2.5 当储浆罐采用钢筋混凝土结构时,由于水煤浆比重较大,在储浆罐直径较大时,产生的环拉力很大,有必要进行抗裂验算。

15.2.6 磨机基础是水煤浆工程中大型设备基础之一,目前磨机传动大都采用齿轮传动,为了控制磨机运行过程中地基沉降变形,宜设置沉降观测点。

16 环境保护

16.1 一般规定

16.1.1 本条文是环境保护设计总的指导原则和要求。保护环境是我国的一项基本国策。国家先后颁发了一系列环境保护方面的政策、法规、法令、标准和规定，各地方政府也相继制定和颁发了结合本地区实际情况的地方性法规和政策，水煤浆技术也是有利于环保的煤炭深加工技术，因此，在水煤浆工程设计中应严格执行。

16.1.3 依照现行的《中华人民共和国清洁生产促进法》，设计中应采取先进的清洁生产工艺和合理、有效污染治理措施，以达到清洁生产和保护环境的双重效果。

16.1.5 本条文规定了废水、废气、噪声和固废的处理原则，强调如果在处理过程中产生二次污染，必须采取相应的治理措施。

16.1.7 在水煤浆工程设计中，如遇到本规范未涉及的部分，可按相关行业的标准执行。如电力工程：执行现行国家标准《大中型火力发电厂设计规范》GB 50660 及《小型火力发电厂设计规范》GB 50049；工业及民用工程：执行现行国家标准《锅炉房设计规范》GB 50041；石油化工工程：执行现行行业标准《石油化工企业环境保护设计规范》SH 3024；化工工程：执行现行国家标准《化工建设项目环境保护设计规定》GB 50483 等。

16.2 大气污染防治

16.2.1 水煤浆作为燃料或原料使用，其工程涉及多个行业，随其应用规模、采用的设备和用途的不同，适用国家和地方颁发的不同的污染物排放标准，设计应根据现行不同标准的适用范围正确采用。

16.3 废 水 治 理

16.3.2 水煤浆工程的废水中，废浆、制浆废水、输煤系统废水、生产系统冲洗水、生活污水等各有自身特性，从有利于治理、复用的角度考虑，应按清、污分流的原则，分类收集后集中处理。

16.3.3 本条文对水煤浆工程生产运行中产生的各种废水分别提出了处理方式和应采取的相关措施。

16.4 固体废弃物处理

16.4.2 本条文作为强制性条文，强调“水煤浆工程产生的灰渣和脱硫废弃物严禁排入江、河、湖、海等水域”，以防止污染水体，造成不可弥补的错误。

16.4.3 在水煤浆应用工程设计时，应为固体废弃物的存储如灰渣等采取有效措施，包括采用干灰储仓或干灰场。

17 劳动安全与工业卫生

17.1 一般规定

17.1.1 依据国家现行的《中华人民共和国安全生产法》和《中华人民共和国职业病防治法》，加强劳动保护，改善劳动条件，保障劳动者在生产过程中的安全和健康，是国家安全生产法律、法规的要求。因此，水煤浆工程的设计应认真坚持新建、改建、扩建工程的劳动安全卫生设施必须与主体工程同时设计、同时施工、同时投入生产和使用的原则，确保国家的各项政策和法规得到有效执行。

17.2 劳动安全

17.2.1 应对水煤浆工程投产后将会给人员带来危险、危害的地点和作业场所进行辨识，并设置醒目的安全标志，达到事前预防的效果。

17.2.3 水煤浆工程有许多转动、传动机械，车间内预留有设备和材料提升、检修的孔洞，因此，机械伤害和人员坠落是工业车间中的一种常见的人身伤害事故，为保护运行、检修人员的安全，设计应采取切实有效的防护措施。

17.3 工业卫生

17.3.1 水煤浆工程中产生粉尘的种类有煤尘、锅炉燃烧后的干灰、脱硫剂——石灰粉等，对主要污染物煤尘的防治应采取以防为主，防、治结合的措施。

18 消　　防

18.1 一 般 规 定

18.1.2 消防给水系统的设计必须完善和可靠，这是保障人身和财产安全的基本条件。